ZIJ KON NIET ZWIJGEN

Hetty Luiten

Zij kon niet zwijgen

Westfriesland

www.uitgeverijwestfriesland.nl
www.hettyluiten.nl

NUR 344
ISBN 978 90 205 3012 4

© 2010 Hetty Luiten/Uitgeverij Westfriesland, Kampen
Omslagillustratie: Jack Staller
Omslagontwerp: Van Soelen Communicatie

HOOFDSTUK 1

'Schiet nou eens op, Johan.' Marijke kwam met één arm in een mouw van haar jas de kamer in. Geagiteerd probeerde ze ook haar andere arm in een mouw te krijgen. 'Je hebt je toetje nog niet eens op,' mopperde ze terwijl ze op haar man af liep.

'En de krant niet uit,' mompelde Johan, die zonder erbij na te denken een lepel vla naar binnen werkte.

'De krant!' riep ze uit. 'Dat is oud nieuws!'

'Kan wel zijn,' vond Johan, 'maar ik heb het nog niet gelezen.'

'Neem die krant dan mee. Je hebt de hele avond de tijd om hem te lezen.'

'Dat is een geweldig idee,' zei hij en hij keek haar stralend aan. Snel nam hij de laatste hapjes vla en kwam overeind om het schaaltje met de lepel naar de keuken te brengen. Daar stopte hij alles in de afwasmachine, keek snel of Marijke er al afwasmiddel in gedaan had en zette hem aan.

Marijke bracht ondertussen de placemat naar de keuken en hield hem onder de kraan.

'Nou ja, zeg, zo'n knoeiboel heb ik er niet van gemaakt,' zei Johan. Hij schudde quasi beledigd het hoofd, maar liep door naar de gang om zijn jas aan te trekken.

'Eindelijk,' verzuchtte Marijke, die achter hem aan de gang in kwam en nog snel een blik in de gangspiegel wierp om te kijken hoe ze eruitzag. Ze lachte tevreden. Haar nieuwe bril stond haar goed en paste ook uitstekend bij haar korte bruine haar.

'Joh, het is nog niet eens kwart voor zes!'

'Er kunnen files staan of wegwerkzaamheden zijn,' wierp Marijke tegen.

Johan schoot in de lach. 'Files rond deze tijd?'

'Ja, het is nog steeds spitsuur.'

'Voor de mensen die Groningen uit komen, maar niet voor ons. Wij rijden er juist naartoe. Trouwens, wegwerkzaamheden had je zelf vandaag wel opgemerkt als die er waren en die waren er niet, toch?'

'Schiet nou maar op,' zei ze en duwde hem de voordeur door.
Hij liep het paadje in hun voortuin af, maar juist toen hij een voet op de stoep wilde zetten, schoot hij in de lach en draaide zich weer om. 'De krant. Ik ben de krant vergeten.'
'Maar ik niet,' zei Marijke en klopte op haar handtas.
'Och, och, als ik jou niet had,' verzuchtte hij dramatisch.
'Dan kwamen we nooit in Groningen.'
'Dat zit er dik in.' Hij grinnikte, opende het portier van de auto die voor hun garage stond en stapte in. Marijke ging naast hem zitten.
'Als we zo doorgaan met ons te haasten, komen we te vroeg, en je weet wat Karin daarvan vindt,' zei Johan. Hij startte de auto, trok op en reed de straat uit.
'Karin kan me nog meer vertellen,' zei Marijke, maar ze zei het met een lach. 'Ik wil Jolien en Sterre zien.'
'Oma's!' zei hij met hoog opgetrokken wenkbrauwen. 'Je hebt ze twee weken geleden nog gezien.'
'Twee weken! Weet je wel hoeveel dagen dat zijn?'
'Ik wel, hoor. Ik ben niet voor niets boekhouder geworden. Ik ben zelfs nog van die tijd dat je moest leren rekenen zonder rekenmachine. En de tafel van zeven kan ik in mijn slaap nog wel opdreunen.'
'Flauwerd.' Maar Marijke glimlachte en wierp hem een warme blik toe. 'Ik mis die kinderen gewoon. Ik wil zien of ze gegroeid zijn, of ze wijzer geworden zijn. Ik wil die glunderende snoetjes zien en ze knuffelen.'
'Dat zei ik toch,' vond Johan. 'Oma's!'
'Poeh, alsof jij als opa minder gek op die kinderen bent.'
Hij zweeg, maar er verscheen een grijns op zijn gezicht. Marijke had helemaal gelijk. Het was vreemd, want af en toe voelde hij zich zelfs schuldig naar zijn eigen kinderen toe. Hij had namelijk soms het gevoel dat hij meer van zijn kleinkinderen hield dan van Karin en Tim. Waarschijnlijk kwam dat omdat hij ze niet elke dag zag en ook niet verantwoordelijk voor hen was. Hij hoefde ze niet

op te voeden en als ze vervelend waren, zou het nooit voor lang zijn. Soms betrapte hij zich erop dat hij languit op de vloer lag te spelen met de kinderen van Tim, hun oudste kind, en hij wist dat hij dat met Tim veel minder gedaan had. Ook verheugde hij zich stiekem op de dag dat de oudste van Tim op voetbal zou gaan. Hij zou als opa dan echt zo vaak mogelijk langs de lijn staan.

Tim had twee jongens gekregen en Karin, hun dochter, had twee dochtertjes, Jolien en Sterre. Waar het aan lag, wist Johan zelf niet, maar hij hield meer van die knulletjes van Tim dan van de meiden van Karin. Er was niets op hen aan te merken, het waren kleine schatten, maar het waren meisjes. Misschien was hij ouderwets, maar hij vond jongens leuker. Met jongens kon je een kasteel bouwen, ravotten, graven in de zandbak. Meisjes waren anders. Ondanks de tegenwoordige tijd waren meisjes anders. Je zag het aan Jolien en Sterre. Ze waren nog maar bijna drie en twee jaar, toch speelden ze het liefst met poppen of maakten ze een tekening. Ravotten vonden ze veel te wild. Ze gaven de voorkeur aan knuffelen en zeker, ze waren om te knuffelen, maar Johan hield diep van binnen toch wat meer van het robuuste gedrag van Jorm en Ivo, de jongens van Tim.

'Waar zit jij met je gedachten?' vroeg Marijke lachend.

'Bij onze kleinkinderen,' zei hij naar waarheid. 'Het is echt een kostbaar bezit.'

Ze keek hem verrast aan. Johan was een verstandsmens en hij toonde altijd minder zijn gevoelens dan zij. Ze stak even haar hand uit om zijn wang en baard te strelen en glimlachte. 'Je hebt gelijk. Het is echt een geweldig geschenk en daarom zou ik ze ook graag wat vaker willen zien.'

'Aan de ene kant begrijp ik dat wel,' zei Johan, 'maar toch vind ik dat je daar niet zo vaak aan moet denken. We moeten ze loslaten. Ze moeten hun eigen leven leiden. Zonder ons.'

'Natuurlijk moet ik ze loslaten, maar ze hoeven toch hun leven niet zonder ons te leiden?' wierp ze tegen. 'Wij horen er ook bij. Bovendien is het voor kinderen heel gezond om een opa en oma te hebben. Zo leren ze al van baby af aan dat mensen verschillend zijn.'

'Met alle gevolgen van dien.' Johan schoot in de lach.

'Hoe bedoel je?'

'Van oma mag ik wel een dropje,' deed hij het stemmetje van Jolien na.

Marijke trok een grimas. 'Ik weet wat je bedoelt. Dat had ook niet gemogen. Als Karin vindt dat ze geen snoepjes mogen, mag ik ze die niet geven. Dat was fout, maar daarvan heb ik geleerd. Dat zal niet weer gebeuren. O, we zijn er al bijna!' Verrast keek ze op haar horloge. 'Kwart over zes. Mooi op tijd.'

'Jullie zijn te vroeg,' mokte Karin toen ze hen voor de deur zag staan.

'Kunnen we nog wat langer met Jolien en Sterre spelen,' zei Marijke.

'Oma! Opa!' Twee gillende meisjes in nachthemdjes kwamen de gang in en klampten zich aan de benen van hun grootouders vast.

'Maak toch niet zo'n herrie!' riep Karin boven het gegil uit.

De kinderen hielden zich meteen stil. Marijke en Johan trokken hun jassen uit, terwijl Karin de trap op klom. 'Nog even mijn haar doen.'

Marijke keek haar verward na. Kon er niet eens een begroetingskus af? Had ze zo'n haast? Maar het duurde toch echt nog een kwartier voordat het halfzeven was en ze was duidelijk al omgekleed voor de feestelijke avond.

Marijke schudde ongemerkt haar hoofd en keek naar beneden, in de lieve gezichtjes van haar kleindochters. 'Kom maar.' Ze stak haar armen uit naar Jolien en tilde haar op, trok haar even dicht tegen zich aan en kuste haar op haar wangen.

'Ik ook,' riep de kleinere Sterre.

'Kom jij maar bij opa,' zei Johan. Hij tilde haar zo hoog de lucht in dat ze bijna met haar hoofd tegen de plafondlamp kwam.

'Johan!' riep Marijke geschrokken uit.

Hij lachte.

Met zijn vieren liepen ze naar de huiskamer, waar de televisie aanstond en een tekenfilm liet zien.

'Sesamstraat!' riep Jolien opgetogen uit. 'Sesamstraat.'

'Nee, meisje,' zei Marijke, 'dat is al geweest.'

'Nee, nee, Sesamstraat!'

'Sesamstraat!' riep Sterre nu ook en ze klapte van blijdschap in haar handjes.

'Maar dat is al geweest,' herhaalde Marijke. 'Dat hebben jullie net al gezien.'

'Toch niet,' zei een donkere mannenstem.

Marijke keek om en bewonderde haar schoonzoon, die er echt geweldig uitzag. 'Hallo Steven, wat ben jij mooi. Nieuwe kleren?'

'Dag moeder, vader.' Hij kwam op hen af en begroette zijn schoonmoeder met een kus. 'Ja, nieuw jasje, nieuw shirt, en ze hebben Sesamstraat nog niet gezien. We hebben het opgenomen, zodat ze er met jullie naar kunnen kijken.'

'O, zit dat zo.' Marijke lachte. 'Nou, meisjes, dan gaan we straks kijken. Eerst pappa en mamma uitzwaaien en dan gaan wij lekker op de bank zitten kijken.'

Jolien en Sterre renden vast op de bank af en gingen ieder in een hoekje zitten, zodat hun grootouders er nog precies tussen pasten. Jolien wees naar de tekenfilm en schoot in de lach. Sterre bedacht zich, kroop over de bank naar haar zusje toe en ging dicht tegen haar aan zitten. Ze stak haar twee vingers in haar mond en genoot duidelijk.

'Jullie weten hoe de video werkt? Sesamstraat staat aan het begin van de band,' zei Steven.

'Geen probleem, jongen, we redden ons wel. Ga jij maar lekker feestvieren. Daar zijn jullie vast wel aan toe,' zei Johan.

Steven glimlachte. 'Zeg dat wel. Tijd om te ontspannen is er tegenwoordig niet veel meer bij. Echt fantastisch dat jullie vanavond konden komen.'

'We willen wel vaker komen,' zei Marijke. 'Of je brengt ze bij

9

ons. Ik zie ze veel te weinig.'

'Hé,' zei Johan waarschuwend tegen zijn vrouw.

'Oké, maar toch. Steven, als je ze eens kwijt wilt, een heel weekend mag ook. Ze zijn van harte welkom.'

'Daar zal ik het eens met Karin over hebben, want een heel weekend met zijn tweeën, dat lijkt me wel heerlijk. Wat is dat alweer lang geleden. Dat zou ons beslist goed doen. Nou, ik ga de auto vast keren, want ik sta verkeerd om en dan kunnen we straks zo wegrijden als Karin klaar is.' Hij liep op zijn kinderen af en gaf ze liefdevol een omhelzing. 'Dag meisjes, lief zijn voor opa en oma.'

Ze knikten en zwaaiden naar hem terwijl hij naar de deur liep.

'Dag Steven, veel plezier, hoor!' riep Johan hem na.

'Oma, kom hier zitten,' riep Jolien. Ze duwde Sterre aan de kant om plaats te maken.

Marijke lachte en liep op de bank af. Johan volgde haar voorbeeld. Ze zaten amper of Karin kwam de huiskamer binnen.

'Jolien, Sterre, komen!' zei ze hard.

'Nee, we gaan naar Sesamstraat kijken,' zei Jolien.

'Komen, zeg ik. Jullie moeten je tanden nog poetsen.'

'Karin, dat kunnen wij straks wel doen,' opperde Marijke.

'Niks ervan. Ik wil erbij zijn, zodat ik zeker weet dat het goed gebeurt. Goed poetsen is van levensbelang. Komen jullie nog of moet ik jullie halen?'

Jolien en Sterre bleven zitten, ze kropen dichter tegen hun opa en oma aan.

Karin raakte nog geïrriteerder dan ze al was en liep op de kinderen af. Ze greep ze ieder bij een arm beet en sleurde ze mee de kamer uit, de trap op.

Marijke en Johan konden ze beneden in de huiskamer horen schreeuwen.

'Lieve help,' verzuchtte Marijke. 'Moet dat zo?'

'Je zegt er niets van,' waarschuwde Johan. 'Je bemoeit je niet met Karins manier van opvoeden.'

10

'Maar dit is toch niet normaal?' vond Marijke. 'Moet dat zo wild? Ze deed ze gewoon pijn. Hoor ze toch eens tekeergaan.'

'Ik ben het wel met je eens dat het ook anders kan, maar je zegt er niets van.'

Een paar minuten later ging de kamerdeur weer open. Jolien en Sterre renden op hun grootouders af en kropen bij hen op schoot. Hun ogen waren vochtig.

'Zo gaat dat dus elke avond,' mopperde Karin. 'Een ramp is het gewoon om die kinderen hun tanden te laten poetsen. Nou, ik ga. Je ziet ons wel weer verschijnen.' Zonder afscheid te nemen van haar kinderen of haar ouders verliet ze de kamer. Marijke keek haar met open mond na.

'Kom,' zei Johan, 'we gaan voor het raam staan en zwaaien.'

Maar de kinderen bleven stil op de bank zitten.

'Kom dan, even pappa en mamma dag zeggen.'

Maar ze waren niet over te halen, kropen alleen maar nog dichter tegen oma aan. Marijke schrok van de blik in hun ogen. Zag ze angst? Ze kon het niet laten te vragen: 'Vinden jullie tanden poetsen niet leuk?'

Johan, die bij het raam stond, draaide zich om en wierp zijn vrouw een waarschuwende blik toe. Marijke zag het niet. Ze keek naar haar kleindochters.

'Niet als mamma het doet,' zei Jolien zacht. 'Ze houdt altijd mijn oor vast en dat doet zeer.' Ze keerde haar oor naar Marijke toe, die geschrokken zag dat het helemaal rood was.

'Pappa is lief,' zei Sterre.

'Gaan we nou Sesamstraat kijken?' vroeg Jolien. Ze kroop nog dichter tegen Marijke aan, legde haar hoofdje tegen oma's arm.

Johan zette de band met Sesamstraat aan, maar Marijke zag er niet veel van. Ze voelde zich volkomen overrompeld en in de war. Was dit haar dochter? Haar eigen vlees en bloed? Iemand die zo snauwde en haar kinderen pijn deed? En waarom? Zij had het toch net zo goed kunnen doen, straks, als ze naar bed moesten? Of vond Karin dat haar moeder dat niet kon. Had ze het zelf vroeger altijd verkeerd gedaan? Was dat het?

'Oma, het is uit. Verhaaltje lezen!' riep Jolien en ze sprong van de bank af.

'Eh?'

'Ze moeten naar bed,' hielp Johan, die wel zag dat Marijke van streek was.

'Natuurlijk, waar zit ik met mijn gedachten.' Marijke kwam overeind, tilde Sterre op en liep naar de gangdeur. Ze voelde een diep medelijden met deze kinderen, haar eigen kleinkinderen. Hoe had dit kunnen gebeuren? Wat was er met Karin aan de hand? Johan kon wel zeggen dat ze zich er niet mee mocht bemoeien, maar hier zou ze zeker iets over zeggen, want dit ging gewoon te ver.

Nadat de kinderen in slaap gevallen waren, zette Marijke koffie. Johan deed de televisie uit om de krant te lezen, maar die kans kreeg hij eerst niet.

'Dit kan echt niet,' zei Marijke, terwijl ze twee kopjes koffie op de salontafel zette.

'Het zijn onze zaken niet.'

'Zag je dan niet dat ze bang voor haar zijn? Bang voor hun moeder. Johan, dat is toch afschuwelijk. Je moet je veilig voelen bij je moeder, prettig, maar toch niet bang?'

'Je overdrijft. Zo erg was het niet. Later was er niets met hen aan de hand. Ze zijn levendig genoeg. Die angst zit echt niet diep.' Hij verstopte zich achter de krant en Marijke deed de televisie weer aan, omdat ze afleiding zocht voor haar gedachten, maar het was moeilijk een programma te vinden dat haar kon afleiden. Na een halfuur liep ze op haar tenen de trap op om te zien of de kinderen nog steeds sliepen en of ze er wel vredig uitzagen in hun slaap.

HOOFDSTUK 2

'Voelt u u wel goed, zuster?'
Marijke keek mevrouw Tuinstra vragend aan, terwijl ze voorzichtig het buisje met bloed in haar koffertje borg. 'Ja, hoor. Prima!'
'Waarom staan uw ogen dan zo flets?' hield de oude vrouw vol.
'Misschien heb ik niet goed genoeg geslapen?' Marijke glimlachte als om aan te geven dat het echt prima met haar ging.
'Problemen dus,' stelde mevrouw Tuinstra vast. 'Anders sliep u
wel goed. Wat is er, zuster? Vertel het me maar. Ik ben inmiddels
oud en wijs genoeg om overal een antwoord op te hebben. Wilt u
koffie?'
Marijke keek op haar horloge en glimlachte opnieuw. 'Ja, graag.
Ik heb vandaag niet veel patiënten, dus dat kan wel voor een keertje. Zal ik het inschenken?'
'Zuster!' riep de vrouw beledigd uit. 'De dingen die ik zelf nog
kan, wil ik ook zelf doen.'
'Sorry.' Marijke liet zich op een stoel zakken en keek de kamer
rond. Ze was hier al veel vaker geweest, maar ze had meestal
haast of deed alsof ze haast had, bedacht ze nu. Ook dat kwam
voor. Bloed prikken en wegwezen. Terwijl mevrouw Tuinstra
natuurlijk al dagen op haar komst zat te wachten. Die kreeg niet
veel bezoek meer op haar hoge leeftijd. Nauwelijks nog vrienden
in leven en hoeveel kinderen had ze ook alweer? Marijke fronste
haar wenkbrauwen. O ja, twee, maar die woonden allebei in
Amsterdam, terwijl zij hier in de provincie Groningen woonde.
Die zag ze dus niet zo vaak. Eigenlijk bofte Marijke zelf nog
behoorlijk met Karin op 25 kilometer afstand en Tim, die in
Zwolle woonde, wat van haar huis tot het zijne precies honderd
kilometer was en als het meezat in een uur te doen.
'Ik hoop dat u suiker en melk wilt, want dat heb ik erin gedaan.'
Marijkes gezicht verstrakte een moment, maar ze wist zich snel te
herstellen. Ze dronk haar koffie zwart. Toen ze echter zag dat de
koffiemelk uit gekookte melk bestond en er al een klein velletje

13

op de koffie dreef, draaide haar maag zachtjes om. 'Lekker, dank u,' zei ze met moeite en nam het kopje aan. Snel pakte ze het lepeltje om het vel kapot te roeren en te voorkomen dat er een nieuw, dikker vel zou ontstaan. Eigen schuld, gromde ze inwendig. Dit had ze kunnen weten en het was zo gemakkelijk te ontlopen geweest door bijtijds te zeggen dat ze haar koffie zwart wilde. Mevrouw Tuinstra had gelukkig niets door. Ze liep voor haar doen bedrijvig door de kamer op zoek naar een trommel met koekjes. Marijke wilde juist zeggen dat ze geen koekje hoefde, toen de oude vrouw een trommel vond waar inderdaad nog koekjes in zaten. Als die maar te eten waren, dacht Marijke en was blij dat ze grote zakken in het jasje had dat ze die dag droeg.

Het trommeltje werd midden op de salontafel gezet en mevrouw Tuinstra ging weer op haar vaste plekje op de bank zetten. 'Vertel,' zei ze haast gebiedend. 'Wat voor problemen hebt u.'

'Dat valt wel mee, hoor,' zei Marijke bagatelliserend.

'Dat weet ik zo net nog niet. Uw ogen staan flets, zei ik al. Hebt u ruzie met uw man?'

Nee, wilde Marijke spontaan uitroepen, maar ze aarzelde net iets te lang om spontaan te kunnen zijn.

'Dus dat is het,' zei mevrouw Tuinstra. 'Tja, het is niet altijd gemakkelijk om getrouwd te zijn. Daar kan ik over meepraten. Ik ben 55 jaar getrouwd geweest voordat Karel overleed.'

'Dat is een hele tijd,' zei Marijke. 'Zo ver zijn wij nog niet. Wij zijn nu 37 jaar getrouwd.'

'Zo lang al? Dat kan ik me niet voorstellen. U ziet er nog zo jong uit.'

'Ik was ook erg jong toen ik trouwde,' vertelde Marijke. 'Negentien. Dan krijg je dat.'

'Dus u móést trouwen?'

'Nee, we wílden trouwen. We gingen al sinds de lagere school met elkaar. We kenden elkaar door en door en we wisten gewoon zeker dat we verder wilden met elkaar, maar we hadden geen zin meer om nog langer gescheiden van elkaar te wonen.'

14

'Maar u was wel zwanger toen u trouwde?' De oude vrouw keek zuster Marijke onderzoekend aan.

'Nee, we kregen Tim pas toen we al twee jaar getrouwd waren. Hij is nu 35 en Karin is 34.'

'Juist. En nu zijn er dan toch problemen.'

'Helemaal niet.' Opeens had Marijke geen zin meer in dit gesprek. Het had haar wel aardig geleken even haar hart te luchten, al wist ze dat ze nooit echt vertrouwelijk mocht worden met haar patiënten, maar het gesprek liep volkomen de verkeerde kant op en zelfs na 37 jaar kon ze nog haar stekels overeind voelen komen. Iedereen had namelijk destijds en ook in latere jaren gesuggereerd dat ze zwanger was geweest en dus moest trouwen. Terwijl ze zover nooit gegaan waren. Daarom wilden ze graag trouwen. Om dat eindelijk te mogen. Ze kenden elkaar al tien jaar. Ze waren er gewoon aan toe om samen te zijn en te trouwen. En hoeveel mensen er later, voorzichtig, maar toch, gevraagd hadden of ze een miskraam gehad had, omdat er binnen negen maanden na de huwelijksdag geen kindje in een wiegje lag. Ze kon er eigenlijk nog boos om worden. Waar bemoeide iedereen zich mee?

'... zei Karel altijd.'

Marijke keek op, ze had helemaal niets gehoord van de laatste zin of misschien zelfs wel zinnen, zo was ze in haar eigen gedachten verzonken geweest. Ze knikte in de hoop dat dat goed zou vallen en nam een slok van de koffie, die vreselijk vies smaakte omdat ze al minstens dertig jaar geen melk en suiker meer in haar koffie gebruikte. Hoe kwam ze nu weer onder dit gesprek uit? Dat ze haast had, kon ze niet meer zeggen.

'... lekker?'

'Sorry, mevrouw Tuinstra, wat zei u?'

'Of u de koffie niet lekker vindt.'

'Niet echt, helaas. Ik drink nooit meer melk in de koffie.'

'Die indruk kreeg ik al. Ik zie nog genoeg, hoor. De mensen denken weleens dat ik blind en doof ben, alleen maar omdat ik de

negentig al gepasseerd ben, maar ik ben nog pienter genoeg. Laat maar staan dan. En vertel nu eindelijk eens wat er is.'
'Dank u.' Opgelucht zette Marijke het kopje op tafel.
'Neem dan in elk geval een koekje.'
Marijke pakte gehoorzaam een biscuitje uit de trommel en keek de vrouw aan. 'Oké, wat zou u doen als u van mening bent dat iemand zijn kinderen verkeerd opvoedt?'
'Eh... Is dat het probleem?'
'Inderdaad. En mijn man en ik denken daar verschillend over en daarom hebben we wat onenigheid, maar meer is het niet.'
'Goed, duidelijk. Tja, het ligt eraan om wie het gaat. Als het om mijn zoons ging, wist ik het wel, maar laatst zag ik de buurvrouw haar zoontje uit de zandbak halen op een manier die voor mij gelijk staat aan kindermishandeling en ik werd zo kwaad dat ik zelfs de telefoongids heb gepakt om de kinderbescherming op te zoeken, maar vervolgens heb ik ze toch niet gebeld.' Ze zuchtte en even leek het alsof ze ging huilen. 'Ik kan dat mens niet uitstaan. Nooit is ze eens lief tegen haar zoontje. Dat jochie krijgt de ene na de andere klap van haar of ze grijpt hem bij een arm en sleurt hem mee de zandbak uit. Ik heb al vaak gedacht dat ik haar er wat van moet zeggen, toch heb ik dat nog nooit gedaan. Zelfs de laatste keer niet, toen het echt de spuigaten uitliep.'
Marijke knikte. Dit wás ook een probleem. Je wist immers nooit wat erachter zat, wat de reden was. Maar zelfs als ze er een reden voor had, dan mocht het kind er niet de dupe van worden, bedacht ze nu.
'Wat zou u doen?'
'Ik weet het werkelijk niet,' zei Marijke. 'Ik denk dat ik ook niets zou doen, maar ondertussen zou ik doodsangsten uitstaan voor als het echt uit de hand gaat lopen. Dat had ik dus kunnen voorkomen door wel te bellen of iets tegen haar te zeggen.'
'Maar u zou het ook niet doen, dus?'
'Ik denk het niet. Je wilt ook geen ruzie met de buurvrouw, toch?'
'Maar ik heb medelijden met dat kind,' vond mevrouw Tuinstra.

'Logisch.'

'Ik heb namelijk weleens gehoord dat de kinderbescherming na een anoniem telefoontje gewoon naar het gezin toe gaat en het kind oppakt en in een pleeggezin stopt. Dan zijn ze van de ene op de andere seconde hun kind kwijt. Ze lijkt er niet van te houden, maar misschien doet ze dat wel. Misschien kan ze niet anders dan haar liefde op die manier uiten. Het lijkt me zo erg als je kind opeens weggehaald wordt,' zei mevrouw Tuinstra.

'Ja, het beste is dus om met de moeder te gaan praten,' bedacht Marijke. 'Dan weet ze dat ze in de buurt overkomt als iemand die haar kind slecht behandelt en dan kan ze er wat aan doen.'

'En ik hoef me niet te schamen dat ik niets gedaan heb,' vulde mevrouw Tuinstra aan.

'Maar u zei als eerste antwoord op mijn vraag,' zei Marijke, 'als het om mijn zoons ging, dan wist u het wel.'

'Natuurlijk. Die zou ik meteen de waarheid vertellen. Dat een buurkind in mijn ogen onnodig geslagen wordt is één ding, maar als mijn eigen kleinkind op die manier behandeld wordt, dan zal ik er zeker wat van zeggen.' Opeens keek ze Marijke geschrokken aan. 'Mishandelt uw kind zijn kind?'

Marijke kleurde. Tja, nu stond ze voor het blok. 'Ik vind haar nogal hardhandig en dat doet me pijn om te zien.'

'Gewoon wat van zeggen, zuster.'

'Maar dat zal ze niet op prijs stellen.'

'Misschien niet, maar je kunt er beter tien keer te vaak iets van zeggen dan één keer te weinig.'

Marijke kwam overeind en maakte van de gelegenheid gebruik om het zacht geworden biscuitje in haar jaszak te laten glijden. 'Daar zit wel wat in,' zei ze. 'Ik moet nu weg. De volgende patiënt zit inmiddels op me te wachten.'

'Heb ik u geholpen met uw probleem?'

'Dat geloof ik wel. In elk geval hebt u me nieuwe stof tot nadenken gegeven. Bedankt, mevrouw Tuinstra, en tot volgende week.'

Toen Marijke wegreed, keek ze nog even om omdat ze wist dat

mevrouw Tuinstra voor het raam zou staan om te zwaaien. Marijke zwaaide terug en reed opgewekt naar haar volgende patiënt. Ze had opeens een beslissing genomen. Als ze straks klaar was, reed ze even langs haar ouders. Haar moeder wist bijna altijd raad en zou dat nu vast ook wel weten.

Marijkes moeder keek verrast op, toen haar dochter opeens in de keuken stond. 'Wat een onverwacht genoegen,' zei ze blij. 'Of is er iets?'
'Nee, nee, niets. Ik had gewoon niet veel patiënten vandaag en ik had zin om even langs te komen.'
'Gezellig. Ik heb net de tafel gedekt voor de lunch. Vader zit al in de kamer.'
Marijke pakte een bordje en bestek voor zichzelf en liep naar de huiskamer.
'Wil je niets drinken?' riep haar moeder haar na.
'Ja, graag. Is er karnemelk?'
'Kijk aan, daar hebben we onze dochter,' zei vader net zo enthousiast. 'Wat een leuke verrassing.'
Marijke voelde zich echt welkom en met een warme blik in haar ogen legde ze bordje en bestek op de tafel en liep op de oudere man af voor een korte omhelzing. Kwam ze zelf eigenlijk wel vaak genoeg bij haar ouders? Ze kon wel vinden dat zij haar kleinkinderen vaker wilde zien, maar zagen haar ouders haar wel genoeg? Ze waren duidelijk zo blij dat ze er was. En kwamen haar kinderen ooit wel bij hun grootouders? Of hield die wens om je kleinkinderen zo graag en zo vaak mogelijk te zien op als ze volwassen waren?
'Wat kijk je bezorgd,' stelde haar vader vast.
'Ik moest opeens ergens aan denken.'
'O ja?'
'Even wachten op moeder.'
'Ik ben er al,' zei de oudere vrouw opgewekt. Ze zette een dienblad op tafel met drie bekers melk en een pot appelstroop, omdat

ze wist hoe gek Marijke daarop was.

'Toen ik de kinderen kreeg, kwam u bijna elke dag even langs, althans moeder, want vader werkte toen natuurlijk nog. Als ik me goed herinner, wilde u eigenlijk zelfs het liefst bij ons in komen wonen, zo graag wilde u ze zien. Maar nu? Hoe vaak ziet u ze nu nog?'

'Net zoals je je kinderen moet loslaten, moet je ook je kleinkinderen loslaten. Die gaan ook weer hun eigen leven leiden en zitten dan niet meer op hun grootouders te wachten.'

'Maar u? Wilt u ze dan ook niet meer zo vaak zien als vroeger?'

'Wat een rare vragen stel jij,' vond haar vader.

Moeder glimlachte. 'Het is niet eerlijk natuurlijk, maar als kinderen klein zijn, zijn ze zo aandoenlijk om te zien. Dat verandert in de loop der tijd. Natuurlijk zie ik ze graag, maar de behoefte is inderdaad niet meer zoals vroeger. Bovendien woonden we vlak bij je. Ik kon het op de fiets doen. Als je verder weg had gewoond, was ik vast zo vaak niet langs geweest.'

'Maar wanneer hebt u Tim en Karin eigenlijk voor het laatst gezien?'

'Dat is alweer een poosje geleden,' zei moeder nadenkend. Ze pakte een boterham uit het broodmandje en begon hem te smeren. 'Vindt u dat niet erg dan?' vroeg Marijke. 'Als ik Jolien en Sterre twee weken niet gezien heb, doet me dat gewoon zeer. Ik kan er zo naar verlangen die kleine snoetjes te zien.'

'Precies, omdat ze nog zo klein zijn. Hen zou ik ook wel wat vaker willen zien dan hun ouders en grootouders.' Oma grijnsde. 'Ja, sorry hoor, hoe lief ik jou ook vind, Marijke, je bent niet meer dat snoezige kindje van vroeger.'

Marijke lachte en stak plagerig haar tong uit naar haar moeder. 'Precies,' zei moeder vrolijk, 'toen stond dat nog wel grappig, nu niet meer.'

'Maar wat is nou eigenlijk je probleem?' vroeg vader. 'Waar slaat dit gesprek op?'

'Ik dacht opeens dat u mij misschien te weinig ziet. Als ik bedenk hoe vaak ik mijn kleinkinderen wil zien, kom ik hier misschien wel veel te weinig.'

'Meisje, je begrijpt het niet,' vond moeder. 'We hebben je al eeuwen geleden losgelaten en je kinderen ook. Jullie zijn hier altijd welkom en ik vind het heerlijk om jullie te zien, maar jullie moeten allemaal je eigen leven leiden. En als ik je net goed begrepen heb, dan vind jij dat je je kleinkinderen te weinig ziet, niet je kinderen. Dat is nou precies het verschil dat ik probeerde uit te leggen. Ik hoor je ook niet klagen over de kinderen van Tim. Die zijn alweer groter en blijkbaar is het dan minder een probleem.'

'Hm.' Marijke nam een hap van haar boterham met appelstroop. Lief, zoals haar moeder eraan dacht wat zij lekker vond.

'Is er wat?' vroeg moeder nu.

'Ik dacht,' flapte ze er opeens uit, 'misschien is het wel een leuk idee om met ons allen een weekend uit te gaan.'

'Zozo, dat klinkt goed,' vond vader. 'Maar wie allemaal?'

'Nou, u allebei, Johan en ik,' somde Marijke op, 'met onze kinderen en hun aanhang plus hun kinderen natuurlijk. Ons hele gezin.'

'Óns gezin is anders wel groter,' vond moeder.

Marijke zweeg en dacht aan haar broer en zus, maar het leek haar juist zo'n leuk idee om alleen met haar eigen gezin te gaan. Natuurlijk hoorden haar broer en zus tot het gezin van haar ouders, maar die brachten weer allerlei andere kinderen en kleinkinderen mee en dat was niet wat ze op dat moment in gedachten had.

'Zullen we een geheimpje verklappen?' Vader keek moeder vragend aan. Er speelde een geheimzinnig lachje rond zijn lippen.

'Nee,' zei moeder pertinent. 'Een geheim is een geheim.'

'Oké, dan niet.' Hij keek Marijke aan en haalde zijn schouders op. 'Je ziet het, moeder is hier nog steeds de baas, maar ik vind jouw idee erg leuk. We moeten het er maar eens over hebben.'

'Mooi. En mag ik dan iets vragen?' Ze kleurde en keek even naar haar bord.

'Wat?'

'Ach…' Marijke haalde haar schouders op. 'Ik zit ergens mee en al ben ik inmiddels 56, ik wilde toch mijn ouders om raad vragen.'

'Dat doet me deugd,' zei vader.

'Wat is er, Marijke?' Moeder legde haar hand op die van haar dochter en keek haar onderzoekend aan.

'Het is geen drama, hoor.' Marijke lachte. 'Ik vroeg me alleen af… toen ik de kinderen nog klein had, had u toen niet af en toe zin om zich met mijn opvoeding te bemoeien? Vond u dat ik het goed deed met de kinderen?'

Onverwachts schoot moeder in de lach. 'Het was eerder andersom. Jij bemoeide je met mijn opvoeding. Voor het eerst van mijn leven was ik oma en ik mocht ze niet volstoppen met snoepjes. Jij was van de nieuwe generatie en kinderen mochten alleen rozijntjes! Sjonge, wat was je boos op me toen je ontdekte dat ik ze snoepjes gegeven had. Zachte snoepjes nota bene, en ik zat erbij om te zien of ze ze wel netjes doorslikten. Maar nee, dat was goed fout.'

Marijke grijnsde. 'Dat weet ik nog wel, ja. Zo was dat opeens. Gezond snoepen heette dat en dat heet het nu nog, alleen sloeg ik toen misschien wel wat door. Maar ik bedoelde bij andere dingen. Was ik te streng? Te slap? Wat vond u ervan en deed u daar wat mee?'

'Natuurlijk niet,' zei vader. 'Dat was jouw zaak toch. Wij hadden jou grootgebracht zoals wij dachten dat het moest, jij ging op jouw eigen manier weer verder.'

'Nou…' zei moeder aarzelend. 'Ik heb weleens iets gezegd…'

'Tegen mij?'

Moeder schudde haar hoofd. 'Eigenlijk heb ik al te veel gezegd nu. Leg nou eerst eens uit waar je op uit bent.'

'Oké, ik zal open kaart spelen. Ik vind dat Karin te hardhandig omgaat met haar kinderen en daar wil ik wat van zeggen, maar Johan vindt dat ik dat niet kan maken en gebiedt me dus mijn mond te houden.'

'Ik ben het met Johan eens,' zei vader direct.

'Ik niet,' zei moeder grijnzend. 'Dat had ik eigenlijk net al bijna gezegd. Wij hebben ook zoiets gehad. Probeer alsjeblieft geen details los te krijgen, maar ik vond ook dat ik iets tegen een van mijn kinderen moest zeggen. Hij of zij, ja, ik wil niet verraden wie,' zei ze verontschuldigend, 'hij of zij dus strafte het kind door het op te sluiten op de kamer. Dat vond ik erg. De angst van dat kind, dat de deur op slot zat en dat het kind er niet uit kon. Daar heb ik iets van gezegd en toen was mijn zoon of dochter bijzonder gepikeerd. Ik had me er niet mee te bemoeien, werd me gezegd.' Moeder zweeg even en keek langs Marijke heen naar buiten. Op haar gezicht was te zien dat het voorval zich opnieuw in haar herinnering afspeelde. Het had blijkbaar diepe sporen nagelaten. Wie zou het geweest kunnen zijn? vroeg Marijke zich af. Haar broer of haar zus? Waarschijnlijk haar broer. Die was altijd al wat harder geweest dan de zussen.

'Weet je,' zei moeder opeens vrij vinnig. 'Het maakte mij niet uit dat ik op mijn kop kreeg, al vond ik dat niet terecht, het ging me erom dat ze het kind geen angst gaven. Een kind hoort zich prettig en veilig te voelen in het huis waar hij of zij woont.' Ze stond abrupt op en liep de kamer uit.

Marijke en vader keken haar na.

'Laat haar maar even. Het is toen inderdaad tot een flinke ruzie gekomen. We hebben het nooit willen zeggen, maar ja, nu kwam het natuurlijk weer omhoog. Volg mijn advies dus maar, Marijke, en laat ze. Zeg er niets van tegen Karin, het is haar leven en het zijn haar kinderen.'

Moeder kwam weer terug. 'Sorry, Marijke, maar het schoot me opeens te binnen dat ik nog een lekkere salade in huis had. Wil je wat?'

Marijke moest lachen en hield haar bordje bij.

'En,' zei moeder, 'hoeveel verdriet het ook doet, je moet er toch iets van zeggen tegen Karin. Als jij vindt dat het zo niet kan, moet je dat zeggen. Je zegt het immers voor de kinderen, die nog te klein zijn om voor zichzelf op te komen. Als jij het niet doet, doet niemand het.'

Nadat Marijke het bloed bij het afnamelab had afgeleverd, reed ze langs de supermarkt. Die salade van haar moeder was echt lekker geweest en ze bedacht dat ze zelf ook wel weer eens zoiets kon maken. En dan een lekker stukje vlees erbij. Ondanks haar volle maag begon ze al bijna weer trek te krijgen.

Het was anders echt geweldig zoals die twee oude mensen het samen nog redden. Het was al uitzonderlijk dat ze allebei nog leefden. Ze waren immers beiden bijna tachtig en heel vaak was dan een van de partners al overleden, maar ze waren ook allebei nog zo gezond dat Marijke zich nooit zorgen over hen maakte. Moeder kookte elke dag, vader hielp met afwassen en zoog af en toe de kamers, wat voor moeder toch zwaar begon te worden. De was werd dan weer helemaal door moeder gedaan. Ze hadden alles netjes verdeeld en ze deden alles ook netjes. Dat had zo anders kunnen zijn. Kijk maar naar mevrouw Tuinstra. Die was alweer een paar jaar alleen en ze was aan huis gebonden, omdat ze nauwelijks nog kon lopen. Ja, een paar stappen binnenshuis, maar de tien meter haalde ze ook daar niet. Die had thuiszorg nodig, iemand die haar huis schoonhield, en iemand die boodschappen voor haar deed. Zelfs dat deden Marijkes ouders nog zelf. Oké, mevrouw Tuinstra was ruim tien jaar ouder en een goede gezondheid op dit moment was totaal geen garantie voor een goede gezondheid later. Voorlopig echter zag het er nog geweldig goed uit voor haar beide ouders.

Opvallend trouwens dat mevrouw Tuinstra er net zo over dacht als haar moeder en ook nog eens precies zoals Marijke. Wél wat tegen Karin zeggen.

'Hé, meid, groet jij je vriendin tegenwoordig niet meer?'

Marijke keek geschrokken op. Ze was aangekomen op de parkeerplaats voor de supermarkt, had geparkeerd, was uitgestapt en had blijkbaar diep in gedachten verzonken een winkelwagentje gepakt zonder om zich heen te kijken. 'Edith! Wat leuk je te zien. Hoe gaat het?'

'Goed, joh. Heb je een nieuwe bril?'

'Zie je dat?' Marijke straalde. 'Je bent de eerste die het ziet. Zelfs Johan zag het niet! Ik moest wel tien keer vragen wat hij van mijn nieuwe uiterlijk vond. Toen had hij het eindelijk door. En ik was net bij mijn ouders, die zagen het ook niet.'

'Ik zag het meteen. Hij staat je leuk. Vlot. Je lijkt er jaren jonger door.'

Marijke schoot in de lach. 'Slijmbal. Of eh... moet je wat van me?'

'Ja, ik wil weer eens een avondje met je uit. Ergens wat eten, glaasje wijn erbij en gezellig bijpraten.'

'Doen we! Heb ik ook zin in, Edith. Afgesproken.'

'Niks afgesproken. Ik wil nu een datum.'

'Oké.' Marijke moest lachen, maar Edith had gelijk. Als je niet meteen iets afsprak, werd het vaak ook niets. 'Ik heb mijn agenda niet bij me, maar als jij een datum noemt, zal ik bedenken of er iemand jarig is.'

'Woensdag 14 oktober. Dat is gisteren over twee weken.'

'14 oktober. Dan is er niemand jarig. Jolien is 10 oktober jarig. Dus 14 is prima. We bellen nog even over de tijd. Oké?'

'Leuk, ik verheug me erop. Hoe is het anders?'

'Ja, best,' zei Marijke. 'Vrijdagavond op de kinderen van Karin gepast. Dat zijn toch zulke schatjes! Ik was gewoon teleurgesteld dat ze zo braaf gingen slapen en niet om het halfuur wakker werden en me riepen.'

Edith knikte enthousiast. 'Dat ken ik, ja. Ik pas nogal eens op bij de buurvrouw, dat weet je. Nou, die vraagt altijd als ze thuiskomt: 'En? Zijn ze lief geweest?' En altijd moet ik 'helaas wel' zeggen. Maar we zien elkaar de veertiende. Echt leuk, Marijke.'

Edith greep haar volle winkelwagen en duwde die naar haar auto. Marijke keek haar na. Edith was al sinds meer dan twintig jaar een vriendin van haar. Ze was nooit getrouwd geweest en had nooit kinderen gekregen. Het verraste haar dat Edith teleurgesteld was als de buurkinderen braaf gingen slapen. Had ze dan liever met ze geknuffeld? Had ze toch zelf graag kinderen gehad, al deed ze altijd alsof dat niet zo was? Hoe lang duurde het eigenlijk voordat je iemand echt goed kende?

'Sta je hier nou nog? Wat is er met je vandaag?' Edith kwam terug met het lege winkelwagentje en schoof het in de rij.

'Eerlijk gezegd vroeg ik me af hoe goed wij elkaar eigenlijk kennen.'

Edith moest hartelijk lachen. 'Mooi onderwerp voor bij het eten. Ik zal ergens een rustig tafeltje reserveren. Zal wel niet nodig zijn op een woensdagavond, maar zekerheid is altijd prettig. Goed?'

Marijke knikte opgewekt en liep de supermarkt in. Geconcentreerd probeerde ze haar boodschappenlijstje, dat ze in gedachten had opgesteld, weer voor de geest te halen en liep ze langs de schappen op zoek naar de benodigde artikelen.

Thuis bracht ze de spullen naar de keuken. Johan was er nog niet, maar dat was logisch. Die kwam altijd pas tegen vijf uur en het was amper drie uur. Marijke werkte drie dagen in de week voor de trombosedienst en deed niets anders dan thuis bloed prikken bij mensen die niet in staat waren zelf naar het ziekenhuis of een prikpost toe te gaan. Mensen, die een antistollingsbehandeling kregen om trombose te voorkomen. In het lab werd hun bloed gecontroleerd om te zien of ze wel de juiste dosering aan medicijnen kregen en zo niet, dan werden ze vanuit het laboratorium gebeld. Marijke bracht het bloed dan ook elke dag zo snel mogelijk naar het lab. Ze hield van het werk. Ondanks dat het elke dag hetzelfde leek, was het bijzonder afwisselend. Ze kreeg geregeld nieuwe patiënten, bij wie ze maar twee of drie keer hoefde langs te gaan. Mensen die een nieuwe heup of knie gekregen hadden en nog niet mochten fietsen of rijden. Die moesten tijdelijk geprikt worden om te zien of ze kans liepen trombose te krijgen. Maar ze had er ook patiënten bij waar ze nu al jaren aan huis kwam. Dat was triest, omdat die mensen dus echt zelf niet meer in staat waren naar een prikpost of een wijkcentrum toe te gaan. Al die jaren al niet. Zoals mevrouw Tuinstra. Toch bleef de oude vrouw opgewekt. Marijke bewonderde haar er enorm om.

De ene dag werkte ze langer dan de andere. Dit was dus een vroege dag geweest. Ze ruimde de boodschappen op en zette een kopje thee, zocht de krant van die ochtend op en ging bij de tafel in de huiskamer zitten. Het was stil in huis. Buiten hoorde ze een paar vogels schreeuwen. Het waren vast meeuwen die naar voedsel zochten op de weilanden achter hun tuin. Ze hield van dit huis en van de geluiden die erbij hoorden.

Toen ze gingen trouwen, konden ze een kleine huurwoning midden in het dorp krijgen en daar waren ze erg gelukkig mee. Het huis had drie slaapkamers, dus er was ruimte genoeg voor hun beide kinderen die later kwamen. Maar toen er besloten werd om een complete nieuwbouwwijk aan de rand van het dorp te bouwen, waren Johan en zij direct gaan kijken. Dat was in 1977. De prijzen waren toen wel aan het stijgen, maar toch nog acceptabel, vergeleken bij nu, al hadden ze het wel een heel bedrag gevonden, Johan en zij. 'Alleen als we dit plekje krijgen,' had Marijke gezegd. 'Hier, helemaal aan de rand, met alleen weilanden achter ons, geen andere huizen.'

Dat was altijd al haar droom geweest. Zo was ze zelf ook opgegroeid. Afgelegen, met uitzicht op gras, koeien, schapen en veel verschillende vogels. Johan, die midden in het dorp was opgegroeid, had dat ook altijd getrokken en ze schreven zich meteen in. Marijke hoopte dat hun kinderen het er ook fijn zouden vinden. Die waren toen drie en twee en konden zich later niet meer herinneren dat ze ooit in een ander huis gewoond hadden. Want ja, ze kregen de plek toegewezen.

Marijke glimlachte bij de herinnering. Het huis had haar hoop ook waargemaakt. Ze hadden het hier altijd heerlijk gehad en dat hadden ze nu nog. Ook zonder hun kinderen was het hier fantastisch wonen. Vaak maakten ze samen een lange wandeling tussen de weilanden door en in de zomer stonden de koeien tot bijna in hun tuin. Daar kon ze na al die jaren nog steeds van genieten.

Ze opende de krant en las snel de koppen op de voorpagina. Haar blik viel op de tekst 'Peuter uit huis gezet wegens klappen'. Haar hart sloeg sneller en vlug begon ze het artikel te lezen. Goed, deze peuter had er echt bont en blauw uitgezien en werd, als je het verhaal tenminste kon geloven, door haar ouders als boksbal gebruikt, maar toch. Wat stond daar? Ondanks haar nieuwe bril kneep ze haar ogen dicht om het beter te kunnen lezen. 'De meeste klappen vallen binnen het gezin.' Marijke schrok ervan. Ze had gedacht dat het elders was, als er klappen vielen. Op het schoolplein, op straat, in de discotheek of kroeg, eventueel op je werk, maar toch niet thuis? Niet in de meeste gevallen? Ze zou beslist 's avonds Karin even bellen. Al was het alleen maar om haar stem te horen – en die van de kinderen. Al wist ze trouwens zeker dat Karin de kinderen niet sloeg. Zo was haar dochter niet. Toch? Ze zuchtte. Ze had immers ook nooit gedacht dat Karin haar kinderen zo af kon snauwen en aan een arm weg kon sleuren. Zou ze ook…? Nee! Geërgerd stond Marijke op. Nu maakte ze het helemaal fraai. Karin had alleen maar haast gehad die avond. Er was helemaal niets aan de hand en geslagen werd er zeker niet. Anders was Steven er nog om daar een stokje voor te steken. Hij zou dat zeker niet toestaan. En Marijke moest ophouden met zeuren en er vooral geen drama van maken. Ze knalde de krant op de krantenbak en liep met opgewonden stappen naar de keuken om aan de salade te beginnen.

HOOFDSTUK 3

Hoewel Marijke nog sliep, hoorde ze de slaapkamerdeur zachtjes opengaan. En dat was vreemd, want die deur stond altijd open. Toen ze zich dat realiseerde, sperde ze haar ogen wijd open en keek in het olijke gezicht van Johan. Zijn baard was nog vochtig van de douche die hij blijkbaar al genomen had. Hij droeg zijn ochtendjas. In zijn handen had hij een dienblad, waarvan ze niet kon zien wat het bevatte.

'Jij merkt ook alles,' zei hij quasi mopperend.

'Vind je het gek? De deur hoort niet open te gaan.'

'Was dat het waar je wakker van werd?'

'Ja!' riep Marijke terwijl ze overeind kwam en er eens goed voor ging zitten. Want dat er een ontbijt op dat dienblad stond, was haar inmiddels wel duidelijk. Ze rook een geroosterde boterham en een heerlijke Chinese thee.

'Ik had juist met opzet de deur dichtgedaan,' zei Johan. 'Ik dacht dat je me anders in de keuken zou horen rommelen. Maar het scheelt me wel werk. Nu hoef ik je niet wakker te maken. Liefste vrouw van mij,' zei hij en zakte door de knieën, 'goedemorgen en eet smakelijk.'

Hij klapte de pootjes onder het dienblad uit en zette het over haar benen. Ze keek haar ogen uit. Twee geroosterde boterhammetjes, waarvan een met marmelade en een met oude kaas, een croissantje, een gekookt ei, een glas jus d'orange en inderdaad een kop thee. Een heel dikke bonbon op een klein schaaltje en als finishing touch een rode roos in een sierlijk, glazen vaasje. 'Waar heb ik dat aan te danken?' vroeg ze verwonderd.

Johan trok een stoel bij en ging dicht bij haar zitten. 'Moederdag mag ik niet meer vieren sinds de kinderen het huis uit zijn. Je zegt altijd: ik ben jouw moeder niet. Valentijnsdag wil je al helemaal niet vieren, want dat vind je commercieel gedoe. En dus verwen ik je vandaag, want ik wil toch minstens een keer per jaar zeggen hoeveel ik van je hou en hoe belangrijk je voor me bent.'

'Nou…' Ze moest eerst een brok in haar keel wegslikken voor ze iets kon zeggen, maar zelfs toen lukte het niet, omdat Johan zijn lippen op de hare drukte.

Ze sloeg een hand om zijn nek en drukte zich stevig tegen hem aan. 47 jaar kenden ze elkaar nu en ze hielden nog steeds van elkaar. Hij voelde zo heerlijk fris aan van de douche en hij rook zo lekker naar aftershave. 'Liefste,' mompelde ze, nadat hij eindelijk haar lippen had losgelaten. 'Dank je. Ik ben helemaal onthutst.'

'Omdat ik nog steeds van je hou?' vroeg hij lachend.

'Onder andere, ja.'

'Dat is ook een hele kluif, dat geef ik meteen toe, maar toch ben ik nog geen liever knuffeldier tegengekomen dan jij.' Hij liet haar los en liep terug naar de deur. 'Ik hoop dat je het goedvindt dat ik bij je op de kamer kom ontbijten.'

'Natuurlijk!' Pas toen ging er een belletje bij haar rinkelen. Kluif? Knuffeldier? Ze grinnikte en wist waar hij op doelde. Het was vandaag 4 oktober, het was dierendag. De schurk. Ze besloot hem niet te zeggen dat ze het doorhad. Misschien lukte het haar om hem later die dag terug te pakken. Ze nam grijnzend een slok van de thee en een hap van het croissantje. Dierendag of niet, dit was pure verwennerij!

'Smaakt het?'

'Heerlijk, hm, wat is dit zalig. Nog lekker lui in bed en dan zo'n ontbijt voor mijn neus, zonder er zelf iets voor gedaan te hebben.'

'Wacht maar tot je het ophebt.'

'Hoezo?' vroeg Marijke nieuwsgierig.

'Dan wil ik mijn beloning!'

'Nou ja, zeg. Ik dacht dat dit een beloning voor mij was. Omdat ik altijd zo lief voor je ben. Moet jij daar dan weer iets voor terug?'

Johan grinnikte en kwam naast haar zitten. Hij nam een flinke hap van zijn geroosterde boterham. 'Vier minuten was toch goed?' probeerde hij te zeggen.

'Hallo!' lachte Marijke. 'Wat leerden wij onze kinderen nou?'
'Niet met volle mond praten, maar dat vind ik nou juist zo leuk en de kinderen zijn al eeuwen de deur uit. Nou, was vier minuten goed of niet?'
'Voor een tongzoen?' vroeg ze.
'Nee! Voor je eitje.'
'Och, grapjas, daar geef ik niet eens antwoord op. Als je dat na al die jaren nog niet weet.'
Hij keek schuldbewust naar beneden. 'Als ik met pensioen ga, zal ik je wat vaker bij het huishouden helpen.'
'Je bent lief,' zei ze en streelde zijn baard. 'Het is toch goed zo? We waren het erover eens dat ik zou stoppen met werken toen de kinderen kwamen en we waren het erover eens dat ik drie dagen in de week zou gaan werken, toen Karin ook naar de middelbare school ging. Als ik ergens geen tijd voor heb, hoef ik maar te kikken of je helpt me. Johan, het is goed zoals het is.' Ze keek hem vol warmte aan.
Hij veegde zijn mond af en boog zich naar haar toe. 'Ja, wij hebben het wel getroffen samen!'
Opnieuw zoenden ze elkaar, maar al snel duwde Marijke hem van zich af. 'Ik vind het ook nog steeds heerlijk om met je te vrijen, maar niet als ik net zo'n lekker ontbijtje heb gekregen. De thee is al bijna koud!' Snel nam ze de laatste slokken, terwijl ze zag hoe Johan de kamer uit rende. Op de overloop bleek een thermoskan vol thee te staan. 'Nog een kopje?' vroeg hij genereus.
Alles bij elkaar werd het een vrij langdurig ontbijt en was het laatste kopje thee echt koud voordat ze eraan begonnen. Wat een geluk dat dierendag op zondag valt dit jaar, dacht Marijke grinnikend toen ze naderhand onder de douche stond. Ze kreeg daar ook meteen een plannetje en nadat ze zich had afgedroogd, haastte ze zich terug naar de slaapkamer. Wie wat bewaart, heeft wat, was altijd haar motto, en inderdaad vond ze helemaal onder in het ladekastje een prachtig vlinderdasje dat zeker dertig jaar oud was. Ze hadden toen een feest gehad en op de uitnodiging stond 'gala'.

Dus had Marijke voor zichzelf een lange japon genaaid en voor Johan hadden ze een smoking gehuurd, maar het vlinderdasje had ze zelf voor hem gekocht. Hij had het echter nooit meer gedragen. Nadat ze aangekleed was, liep ze naar beneden. In de kast onder de trap bewaarde ze allerlei dozen en doosjes die ooit nog eens van pas konden komen. Daar vond ze inderdaad een heel aardig zwart doosje, waar het strikje precies in paste. Een stukje glanzend pakpapier maakte het geheel compleet. Zich verkneukelend stopte ze het in de zak van haar colbertje in afwachting van een geschikt moment om het te geven.

Johan was in de keuken koffie aan het zetten.

'Sjonge, je hebt er wel zin in vandaag,' lachte Marijke, 'maar ik laat me graag verwennen!' Ze liep door naar de huiskamer, maar Johan kwam haar achterna. 'Zullen we straks even bij je ouders langsgaan? Die heb ik alweer een poos niet gezien.'

'Leuk idee. Trouwens, ik had ook iets bedacht. Wat vind je ervan om met ons hele gezin, ik bedoel mijn ouders, Tim en Karin met hun gezinnen, een weekendje weg te gaan?'

'Dat klinkt heel verleidelijk, maar weet je wel wat dat kost? Ik bedoel: als wij dat voorstellen, zullen wij dat ook moeten betalen, lijkt me.'

'Hm, daar had ik nog niet over nagedacht. Oké, ga ik dat eerst eens uitzoeken. Het hoeft ook niet op stel en sprong, maar ze zijn er nu nog…'

Johan knikte. Zijn blik gleed naar de wand met foto's. Zijn ouders leefden niet meer. Die waren nu drie respectievelijk zes jaar geleden overleden. Hij zuchtte. 'Soms doet het nog zeer,' zei hij zacht. Hij draaide zich om en verdween de keuken in om al snel met twee kopjes koffie terug te komen. Hij lachte weer en boog zich over naar Marijke, terwijl hij de kopjes op tafel zette. 'Alsjeblieft, lieve vrouw.'

'Houdt dit gevlei niet meer op vandaag?'

'Dat zei ik toch? Je bent het liefste knuffeldier dat er bestaat, ik kan gewoon niet van je afblijven.'

Ze stak haar tong naar hem uit. 'Zal ik moeder even bellen of het uitkomt?'

'Zou het niet uitkomen dan?'

'Ach, ze zouden bezoek kunnen krijgen of zijn met anderen meegegaan na de kerk.'

'Dat is waar. Bel dan maar even.'

Ze waren echter van harte welkom en Johan haalde galant de jas van Marijke van de kapstok.

'O,' zei ze geschrokken. 'Ik was het bijna vergeten. Ik heb een cadeautje voor je. Ik hoop dat je het wilt dragen vandaag.' Ze haalde het kleine pakje uit haar zak en stak het hem toe.

Zijn ogen werden groot. 'Een cadeautje? Voor mij?'

'Ja, dat heb je wel verdiend.'

'Hoezo?'

'Omdat jij de grootste knuffelbeer van alle beren bent, schat.'

'Hoe eh…?'

'Pak nou maar uit. Ik wil je wel helpen met omdoen.'

'Omdoen?' Johan keek verward van het pakje naar zijn vrouw. Hij voelde dat hij ergens inliep, maar wist niet waarin. Uiteindelijk vond hij het zwarte vlinderstrikje. 'Wat? Waarom…?'

Marijke moest lachen om zijn verblufte gezicht. 'Echte beren dragen natuurlijk geen vlinderstrikjes, maar beren uit tekenfilms wel. Jij bent geen echte beer, maar wel de liefste. Vandaar dus.' Ze liep op hem af en deed de kraag van zijn overhemd omhoog, deed het bovenste knoopje dicht en trok het strikje onder de kraag door.

'Zeg, ik wil helemaal geen vlinderdasje. Dat heb ik altijd afschuwelijk gevonden.'

'Maar beertje nou. Toe, doe niet zo flauw. Het is maar één keer per jaar dierendag en dan moet je feestelijk versierd zijn.'

'Dierendag? Dus dat wist je?' Johan keek haar boos aan, maar schoot tegelijk ontzettend in de lach. 'Dus je hield me voor de gek. Je wist het al die tijd?'

'Nee, ik had het niet door, tot jij zei dat ik zo'n heerlijk knuffeldier was. Toen begreep ik het.'

'Heb je dit dan niet…'

'Nee, joh, dit is hetzelfde strikje dat ik dertig jaar geleden voor je gekocht heb. Toen wilde je het al niet dragen.'

'En nu nog steeds niet.' Johan grinnikte. 'Je had me tuk!'

'Ik ken jou beter dan je dacht,' zei Marijke lachend en drukte nog snel een kus op zijn mond. 'Zullen we nu dan maar overgaan tot de orde van de dag?'

'Goed, mevrouw. Mag ik u voorgaan naar de auto?'

Op hetzelfde moment sloeg Karin de huiskamerdeur met een knal dicht. 'Ik hoop dat we nu even van hen verlost zijn,' verzuchtte ze, terwijl ze zich op de bank liet vallen en een tijdschrift naar zich toetrok.

Steven keek haar bezorgd aan. Het liefst begon hij nu een diepgaand gesprek met haar, maar hij wist dat ze niet aanspreekbaar was als ze zo kwaad was. Toch kon hij het niet met haar gedrag eens zijn.

'Is er wat?' Ze keek hem geërgerd aan.

Hij knikte voorzichtig.

'Ach, je bent het niet met me eens. Je vindt dat de kinderen best in de kamer hadden mogen blijven. Nou, ik niet. Ze waren ongehoorzaam en dat ben ik beu. Het wordt de hoogste tijd dat ze leren naar me te luisteren. Toevallig is het nu zondag en ben ik niet zo druk als op andere dagen, maar normaal heb ik er geen tijd voor om urenlang geduldig met hen te praten om ze zover te krijgen dat ze zich aankleden of hun speelgoed opruimen. Als ik zeg dat ze iets moeten doen, moeten ze dat doen!' Demonstratief opende ze het tijdschrift als om aan te geven dat er verder niets te zeggen viel.

Daar was Steven het echter niet mee eens. Hij had tot een later tijdstip willen wachten, tot ze wat gekalmeerd was, maar nu ze zelf begonnen was, moest hij wel wat terugzeggen. 'Karin, ze zijn nog zo klein en als je ze iets zachter of geduldiger zou behandelen, doen ze vas...'

'Ik heb geen zin in dit gesprek,' zei ze en stond op. 'Ik ga even naar buiten voor een wandeling.'

Voor hij nog iets kon zeggen, was ze de kamer uit verdwenen. Hij keek nog beduusd en teleurgesteld naar de dichte deur toen die alweer openvloog. 'En laat ik het niet merken dat je de kinderen naar beneden haalt. Ik heb gezegd dat ze er een uur moeten blijven en dat moet dan ook.' Knal, de deur was weer dicht. Al snel zag hij haar met driftige stappen langs het raam lopen. Hij keek op zijn horloge en besloot de kinderen precies een kwartier op hun kamer te laten. Ze konden nog geen klokkijken en hadden geen gevoel voor tijd. Een kwartier zou voor hen misschien zelfs wel als een halve dag lijken. Een uur moest een eeuwigheid zijn. Ze waren immers nog zo klein.

Natuurlijk had Karin gelijk dat ze moesten gehoorzamen, maar tegelijkertijd vond Steven dat Karin ook wel enige redelijkheid kon betrachten. De meisjes zaten heel gezellig samen op de vloer met hun poppen te spelen en plotseling moesten ze alles opruimen, omdat 'de bende' volgens Karin te groot werd. En daar hadden ze dus geen zin in gehad. Logisch. Hij had alle begrip voor Jolien en Sterre en eerlijk gezegd niet voor Karin, want ze hadden helemaal geen plannen voor die dag. Ze zouden niet weg en er kwam geen bezoek. Wat kon er dan op tegen zijn dat er allemaal kleertjes en dekentjes op de vloer lagen terwijl ze er zo heerlijk mee zaten te spelen?

Steven zuchtte opnieuw. Hij hield echt veel van Karin en de eerste jaren van hun huwelijk was hij ook heel gelukkig met haar geweest, maar de laatste tijd was er af en toe geen land meer met haar te bezeilen. Ze was kortaf, snauwde. Niet alleen tegen de kinderen, ook tegen hem. En als hij vroeg wat er was, zei ze altijd dat er niets was. Dit kon zo eigenlijk niet doorgaan. Dit ging ten koste van iedereen, ook van haar, want als het nog lang zou duren, zouden de kinderen niet meer van haar houden en dat leek hem vreselijk. Als je niet meer van je eigen moeder houden kon? Nee, dat moest voorkomen worden. Dus moest hij er wat aan doen. Misschien was het echt wel een aardig idee om een weekend weg te gaan en de kinderen naar Karins ouders te brengen, zoals zijn schoonmoeder had voorgesteld. Karin had het misschien gewoon te druk, misschien was ze er wel aan toe om even echt uit te waaien. Op Terschelling of zo. Zijn gezicht klaarde op bij het idee. Ja, dat zou hij voorstellen als ze elkaar weer zagen. Nu ging hij de kinderen ophalen. Hij besloot ze mee te nemen, al wist hij nog niet waar naartoe. Eigenlijk had hij wel zin om even met Marijke te praten, maar dat leek hem toch beter om niet te doen. Ze was Karins moeder. Niet dat ze meteen Karins kant zou kiezen, maar het zou zeker niet leuk voor haar zijn om te horen dat hij en de kinderen moeite met haar dochter hadden. Naar zijn eigen moeder wilde hij ook niet. Dan leek het net alsof hij Karin afviel, alsof hij niet meer van haar hield, en dat laatste was echt niet zo.

Hij opende de slaapkamerdeur en keek om het hoekje. De meisjes zaten samen op Joliens bed, dicht tegen elkaar aan. Ze deden niets, maar zochten duidelijk troost bij elkaar. Stevens hart deed pijn toen hij ze zag zitten. Twee meisjes van bijna drie en twee jaar, angstig tegen elkaar aan, bang voor wat er komen ging. Toch moest hij naar hen toe op één lijn gaan zitten met Karin. Hij greep de enige stoel die in de kamer stond en trok hem bij het bed. Hij keek ze aan, probeerde zowel streng als warm te kijken. Hij glimlachte voorzichtig. 'Dus jullie waren stout?'

'Nee,' riep Jolien. 'Wij gingen spelen.'

'Maar jullie moesten opruimen,' zei Steven.

'Pelen,' zei Sterre met haar heldere stemmetje.

Opeens wist Steven het. 'Oké, dan gaan we spelen, maar buiten. Dus eerst omkleden.' Hij stond op en zocht in hun kast naar broeken, want in de jurkjes die ze nu droegen konden ze onmogelijk mee naar de speeltuin, zoals hij net bedacht had. Hij hielp ze met omkleden. Ze begrepen er de bedoeling niet van, maar deden bedeesd wat Steven zei. Het deed hem verdriet om ze zo stil en timide te zien. 'Mamma is weg,' zei hij. 'Ze maakt een wandeling. En wij gaan ook weg.'

'Weg?' vroeg Sterre.

'Oma?' riep Jolien. 'We gaan naar oma!'

'Nee, we gaan spelen. Kom.' Hij ging hen voor de trap af en hielp ze in hun jasjes. 'Ik schrijf even een briefje voor mamma, dan weet ze waar we zijn.' Snel schreef hij op dat hij met de kinderen naar de speeltuin was, legde het briefje duidelijk zichtbaar op tafel en nam de kinderen mee naar buiten, waar zijn auto op de oprit voor het huis stond. 'Instappen,' zei hij opgewekt.

Nu zag hij dat ze ontdooiden en dat hun ogen weer begonnen te glanzen. Hij hielp ze met hun riemen en niet veel later waren ze op weg. Het was oktober, maar de zon scheen volop. Een prachtige dag dus om buiten te zijn. Jammer dat hij dit niet meteen vanmorgen al bedacht had, dan hadden ze nu met z'n vieren kunnen gaan en was alles vast en zeker anders verlopen. Hij kon wel vinden dat Karin snauwde en onaardig en ongeduldig deed, zelf moest hij misschien wat vaker initiatieven ontplooien en niet rustig afwachten tot Karin besloot wat ze zouden gaan doen. Als je anderen mocht geloven, waren je kinderen zomaar groot. Als je er nu niet van genoot dat ze zo klein en schattig waren, kon het nooit meer. En dus moesten ze gewoon vaker wat leuks doen samen en dus moest hij dat voorstellen. Hij was blij met zijn beslissing. Hij zou – zodra er die dag de kans toe was – met Karin gaan praten, maar niet over haar kortaangebondenheid, nee, hij zou voorstellen dat ze wat vaker uit zouden gaan. Met kinderen en zonder kinderen. Opgetogen door deze gedachten reed hij naar de speeltuin, waar hij vroeger zelf ook al met zijn ouders kwam en waarvan hij wist dat er een restaurant bij was, waar ze heerlijke pannenkoeken bakten. Misschien kon hij Karin straks wel bellen en vragen of ze ook kwam, zodat ze in het restaurant konden eten en er thuis eens niet gekookt hoefde te worden.

36

'Je bent laat,' zei Johan. 'Je hebt precies Karin gemist. Die belde net. Ze vroeg of we zaterdag rond een uur of twaalf wilden komen. Dan komen de ouders van Steven ook. Ze zorgt dan voor gebak en een broodje.'

'Leuk. Je hebt toch wel gezegd dat het goed is?'

Hij knikte. 'Hebben we al een cadeautje voor de kleine meid?'

'We?'

'Nou ja, jij dan.'

'Dat was nogal gemakkelijk. Karin had een verlanglijstje voor Jolien gemaakt, dus ik hoefde zelf niet te denken. Ik moet het alleen morgen nog ophalen. Ik heb de speelgoedwinkel al gebeld of ze dat soort poppen ook op voorraad hebben. Heb je zin in een karbonade of wil je liever verse worst?'

'Ik heb nog veel liever erwtensoep. Het was er vandaag echt het weer voor.'

'Dat hebben we nog wel in de diepvries, maar het ontdooien duurt zo lang.'

Johan lachte. 'Niet als het al minstens een halfuur op de kachel staat. Ik had er de hele dag al trek in en toen jij niet thuis was, heb ik besloten dat we erwtensoep eten vanavond.'

'Prima! Dat scheelt me weer werk. Zal ik er nog een rookworst bij doen?'

'Hoeft niet, heb ik ook al gepakt uit de kelderkast.'

'Weet je wat?' Marijke schoot in de lach. 'Ik ga vast lekker aan tafel zitten en laat me bedienen.' Ze voegde de daad bij het woord, pakte de krant van die ochtend en ging zitten op haar vaste plaats aan tafel.

'Zal ik er dan een glas rode wijn bij schenken?'

'Wijn bij de snert?'

'Joh, dat glas is allang leeg voordat de soep eindelijk heet genoeg is om opgediend te worden.'

Marijke glunderde en liet het zich welgevallen dat Johan voor haar zorgde. Het kwam maar weinig voor dat hij eerder thuis was dan zij en dus kwam het ook maar weinig voor dat hij voor het eten zorgde. Althans door de week. In de weekends wilde hij nog weleens in de keuken gaan staan. In elk geval was dit een aangename verrassing.

'Alsjeblieft,' zei hij, 'maar je moet alleen drinken, ik ben in de keuken.'

Marijke genoot van de wijn en van de rust. Ze had een erg drukke dag achter de rug. Meer patiënten dan ooit en dan ook nog dat lange gesprek bij mevrouw Tuinstra, waar ze Johan straks over wilde vertellen. Daarna nog de boodschappen, duidelijk op een moment dat er meer mensen boodschappen deden. Het was heerlijk even lekker op haar gemak te zitten. Ze schopte haar schoenen onder tafel uit en boog zich over de koppen op de voorpagina van de krant. Het was toch wat zoals de werkloosheid toenam op dit moment en dat vooral de mensen die het minder goed hadden het volgend jaar nog minder zouden hebben. Al die artikelen over de crisis en over de broekriem aanhalen en dat 2010 het jaar zou worden, waarin iedereen met minder rond moest komen. Ze zuchtte, maar realiseerde zich tegelijkertijd dat zij niets te zuchten had. Ze hadden het samen immers goed. Als Johan ontslagen zou worden, waar het niet op leek, zou het wel wat moeilijker worden, maar dan hadden ze naast zijn WW ook haar inkomen nog. Ze woonden bijna gratis omdat ze hun hele leven flink op de hypotheek hadden afgelost. Dus nee, zij had echt geen reden tot zuchten. Bovendien leek het erop dat het ook met hun kinderen goed af zou lopen. Ze hadden allebei een baan en hun echtgenoten ook. En zo te horen werden ze erg gewaardeerd op hun werk en deden de bedrijven waar ze werkten het nog prima.

'Wat zit jij somber te kijken?' Johan kwam binnen met een dienblad met twee dampende borden soep.

'Dat ruikt lekker!' riep ze uit.

Hij moest om haar lachen. 'Het is je eigen soep, hoor.'

'Weet ik, maar erwtensoep ruikt nu eenmaal altijd zo heerlijk. Ik heb er veel knolselderij in gedaan, dat vind ik lekker en die ruik ik nu.'

Johan ging tegenover haar zitten en trok een bord naar zich toe.

'Was het druk vandaag?'

Marijke knikte terwijl ze een hap van de soep nam en genietend de soep door haar keel liet glijden. 'Goed idee van je,' zei ze waarderend. 'Maar inderdaad, het was druk. Vier nieuwe patiënten, die allemaal een nieuwe heup hadden gekregen en die dus de eerste weken zelf nog niet naar de prikpost kunnen. Maar ik ben ook wat langer bij mevrouw Tuinstra geweest vandaag.'

'Mevrouw wie?'

'Vergeet die naam maar weer. Die had ik niet mogen zeggen. Ze vertelde me vorige week dat ze zo'n medelijden had met haar buurjongetje. Die kreeg geregeld klappen van zijn moeder. Ze had zelfs al een keer op het punt gestaan naar de kinderbescherming te bellen, maar het toch niet aangedurfd. Vandaag was ik weer bij haar. Ik prik haar namelijk eens per week.' Marijke zag het gezicht van de vrouw weer voor zich…

Nog voordat ze op de bel drukte, ging de deur al open. Marijke was verrast dat mevrouw Tuinstra zo vlot ter been was die dag, maar het was ook mogelijk dat ze de hele morgen al achter de deur had gestaan. Het was meteen duidelijk dat ze brandde van verlangen om iets te vertellen. Haar hele gezicht glunderde en haar wangen waren rood. Alleen begreep Marijke niet meteen wat ze bedoelde.

'Ze is hier geweest! Ze heeft hier thee gedronken!' riep mevrouw Tuinstra uit. 'Hoe vindt u dat, zuster?' Ze zwaaide de deur open, zodat Marijke binnen kon stappen.

'Wie? Wie is er op de thee geweest?'

'De buurvrouw! U weet wel, die van dat jongetje.'

Toen herinnerde Marijke zich het hele verhaal. Ze stak haar arm uit naar mevrouw Tuinstra en samen liepen ze naar de keuken, waar ze haar plaats liet nemen op een stoel bij de tafel. 'Hoe is dat gekomen?' vroeg Marijke, terwijl ze de stuwband opzocht en de mouw van de vrouw begon op te rollen.

'Gisteren zat ik voor het raam in de huiskamer naar buiten te kijken. Nu de struiken al wat kaal aan het worden zijn, kan ik alles nog beter zien. Ik zag het jongetje in de zandbak spelen. Hij was heel hard aan het graven. Ik kreeg het gevoel dat hij kwaad was. Hij ging behoorlijk tekeer. Opeens hoorde ik zijn moeder roepen, maar hij deed net of hij het niet hoorde en hij bleef graven. Ze riep nog een keer en hetzelfde verhaal. Ik stond op, zodat ik alles nog beter kon zien en daar kwam de buurvrouw naar buiten. Zonder erbij na te denken, tikte ik keihard op het raam met mijn trouwringen.' Ze stak haar hand op naar Marijke. 'Kijk, deze was van Karel, die draag ik ook sinds hij is overleden. Ik heb hem wel kleiner moeten laten maken. Karel was zo'n grote, forse man.'

Marijke knikte en stak de naald in de ader van de vrouw. Ze zag hoe het bloed begon te lopen en het buisje vulde.

'Ze hoorde me,' ging mevrouw Tuinstra verder. 'Ze keek op en ik gebaarde dat ze moest komen. Of ze nou zo veel fatsoen in zich had of nieuwsgierig was, dat weet ik niet, maar ze kwam. Dus ik haastte me naar de achterdeur en glimlachte zo vrolijk mogelijk. 'Dag buurvrouw, heb je zin in een kopje thee?' vroeg ik. Ze keek me aan alsof ze het in Keulen hoorde donderen, dus ik ging meteen door met praten. 'Hoe lang wonen jullie nu naast me? Twee jaar? We hebben nog nooit kennisgemaakt. Ik ben mevrouw Tuinstra.' Ik stak mijn hand uit en die nam ze aan. Ze noemde zelfs haar naam. 'En je schattige zoontje? Hoe heet hij?' vroeg ik. Haar gezicht betrok bij het woord schattig, maar ze vertelde dat hij Tobias heet. Dat wist ik allang natuurlijk. Zo vaak als ze hem al geroepen had. 'Toooobiasssss, Tóóóóóóbiassss, thuiskomen!' Ze was verder niet erg toeschietelijk, wat logisch was, anders had ze zichzelf al twee jaar geleden aan me voorgesteld, maar ik kon daar geen uren blijven staan, dus dat zei ik. 'Sorry, buurvrouw, ik kan mijn benen niet meer zo lang gebruiken. Kom even binnen, dan kunnen we gaan zitten.' Tot mijn grote verrassing zei ze dat het goed was, ze wilde het alleen even tegen Tobias zeggen, zodat hij wist waar ze was. En dat vond ik geweldig, want zo hoort het ook. Ik hoor zo vaak moeders klagen dat hun kind is weggelopen, maar hoe vaak is de moeder niet zelf weggelopen? Denk daar maar eens over na,' zei ze lachend.

Marijke lachte met haar mee, borg ondertussen haar spulletjes weer op. 'En? Hoe verliep het verder?'

'Moet u geen bloed afnemen vandaag, zuster?'

'Dat heb ik zojuist gedaan!'

'Dat meent u niet?' Verward keek de vrouw naar haar arm en zag de pleister zitten. 'Ik heb er niets van gemerkt!'

'Goed ben ik, hè?' zei zuster Marijke met een knipoog. 'Nou, vertel. Kregen jullie uiteindelijk ruzie?'

'Nee, ze was helemaal beduusd toen ik vertelde dat het me verdriet deed als ze haar zoontje sloeg. Ze leek het heel normaal te vinden. Dus ik zei: 'Jij kreeg toch ook geen klappen toen je klein was?' Weet je wat ze zei? Elke dag! Ze wist niet anders of het was normaal om kinderen te slaan. Als ze niet luisterden, mocht je slaan! Ik vroeg of ze dat zelf prettig gevonden had. Daar gaf ze eerst geen antwoord op, maar na een poosje zei ze: 'Ik probeerde altijd te voorkomen dat ik klappen kreeg, want natuurlijk deed het pijn. Ik kon soms dagen niet zitten op dat harde stoeltje in de klas, omdat ik bont en blauw geschopt was.' Zuster Marijke, ik had zo'n medelijden met de moeder! Ik zei tegen haar dat ik de Raad voor de Kinderbescherming had willen bellen, omdat ik medelijden had met Tobias, maar ik was blij dat ik het niet gedaan had. Ik had maatschappelijk werk moeten bellen voor buurvrouw, want zij was degene die hulp nodig had.'

Marijke had zich geschokt op de stoel tegenover haar laten vallen. 'Wat een verhaal. Maar de buurman dan? Vindt die het normaal dat een klein kind geslagen wordt?'

'Dat vroeg ik ook, en toen kwam het ergste. Buurman slaat ook. En niet alleen Tobias, hij slaat zijn vrouw ook.'

Er ontsnapte Marijke een diepe zucht. 'Wat een ellende.'

'En dat ik dat niet wist,' zei mevrouw Tuinstra. 'Ik heb nooit iets gehoord. Zou mijn gehoor dan toch achteruitgegaan zijn? Ik wist niet dat deze huizen geluiddicht waren.'

'En nu? Dit kan toch zo niet doorgaan?'

'Nee, natuurlijk niet. Ik heb haar verteld dat het niet normaal is, dat het ook niet mag. Dat ze de gevangenis ingaan als anderen erachter komen dat er geslagen wordt. Vroeger mocht je je kind nog wel slaan, maar nu niet meer. Ik heb ook gezegd dat ik het maatschappelijk werk bel als ze er niet mee stopt en anders toch de kinderbescherming, maar dan was ze Tobias kwijt. Opeens zat ze te huilen. Ze was ook helemaal niet gelukkig, maar wist niet tegen wie ze dat moest zeggen. Haar moeder zag haar aankomen, die begon meteen te meppen en tegen haar man hoefde ze ook niets te zeggen, want die vond dat hij er het recht toe had zijn handen te laten wapperen.'

'Lieve help,' verzuchtte Marijke en dacht in stilte terug aan haar ontbijt op bed van een paar dagen ervoor. 'En ze houden natuurlijk ook nog van elkaar.'

'Dat denk ik wel, ja.'

'Maar waarom doet niemand er wat tegen?'

Mevrouw Tuinstra haalde haar schouders op. 'Misschien verbergen ze het wel als ze bij anderen zijn? Ze weten misschien diep van binnen toch wel dat het niet hoort.'

'Maar gaat Tobias dan niet naar school?'

'Nog niet. Hij moet nog vier worden, vertelde zijn moeder. Hij was wel een blauwe maandag op een peuterspeelzaal geweest, maar dat beviel niet. Ik denk dat Tobias ook het liefst anderen slaat. Hij weet immers niet beter. Ik zie hem hier ook altijd alleen spelen. De kinderen zijn hem vast allang zat.'

'Als er niet snel ingegrepen wordt, gaat dit goed mis,' vond Marijke.

'Precies. Daarom hebben we ook een afspraak gemaakt. Ik laat u volgende week het vervolg horen, maar ik wilde alleen maar vertellen hoe blij ik ben dat ik eindelijk de moed had de moeder erop aan te spreken. Nu zie je wat erachter zit.'

Marijke keek Johan aan. 'Nou, aardig verhaal, hè?'
'Inderdaad. Jij maakt wat mee in je beroep. Dat soort dingen overkomt mij nu nooit.'
Marijke moest lachen. 'Nee, jij zit alle dagen achter een bureau naar je computer te kijken. Maar nu even serieus: vond je het niet geweldig dat die oude dame, ze is al meer dan negentig, die moeder erop aansprak?'
'Dat is zo. Dat zouden meer mensen moeten doen. Tegenwoordig loopt iedereen overal omheen om vooral zelf geen vieze vingers te krijgen of zich te branden. Als er ergens ruzie is, zeggen we er niets van, nee, we lopen snel door. Als we iemand iets zien pikken in een winkel, zeggen we er vooral niets van, want stel dat we een klap krijgen. Maar hoe minder we zeggen, hoe erger het wordt in deze wereld. Ik vind het heel flink van die dame. Het is er nog eentje van de oude stempel.'
'Ja, hoe minder we zeggen, hoe erger het wordt. Als we niets meer zeggen, denken ze dat het mag, dat het normaal is. Dus moeten we er wat van blijven zeggen!'
'Dat zeg ik toch?' Johan keek haar verward aan. 'Waar ben je mee bezig? Zoek je ruzie met me?'
'Helemaal niet. Alleen… Als een kind aan z'n arm de trap op gesleurd wordt, zeggen we er ook vooral niets van, want stel dat we ruzie krijgen.'
'Hoe bedoel je?'
'Johan, ik bedoel dat we met eigen ogen gezien hebben hoe Karin – onze dochter – haar kinderen bij de armpjes greep en meesleurde en zij weet dat we het gezien hebben. Als we er niets van zeggen, denkt ze dat we het goedkeuren, dat het normaal is. Dat bedoel ik.'
'Aha, we zijn weer terug bij af.' Hij kwam overeind. 'Je moet het zelf weten, Marijke. Ik vind het onzin. Ze redden het prima daar.

Karin was gehaast, dat is alles. Zodra ik zie dat ze onder de blauwe plekken zitten, zal ik direct persoonlijk aan de bel trekken, maar je moet niet van elke mug een olifant maken. Wil je nog meer soep? Er is nog.'
'Graag, ja.' Marijke keek hem na. Hij had ongelijk. Als die blauwe plekken er zaten, waren ze te laat. Ze moesten juist voorkomen dat die blauwe plekken er ooit kwamen. Door het verhaal van mevrouw Tuinstra was ze vastbesloten er met Karin over te praten, al was de verjaardag van Jolien misschien niet zo'n geschikte dag en moest ze het gesprek toch nog even uitstellen.

'Oma, oma, Pino kan niet eens tot honderd tellen!' Jolien vloog op Marijke af en sloeg haar armpjes om haar grootmoeder heen. Marijke moest even omschakelen van de realiteit naar Sesamstraat, maar kreeg amper de kans. Jolien ratelde alweer door. 'Pino kon niet slapen en toen moest hij tot honderd tellen en toen viel hij gewoon in slaap en toen ging de bal ook slapen en het grote blok…'
'Meisje, meisje, wat ben je druk. Weet je wel dat je jarig bent?' vroeg Marijke lachend, terwijl ze haar optilde en een dikke kus gaf. 'Gefeliciteerd, hoor. Nu ben je drie! En kijk, opa en ik hebben ook een cadeau voor je meegebracht.'
'Ik ook!' riep Sterre en trok aan Marijkes rok.
'Ja, Sterre krijgt ook een cadeautje,' zei opa, 'maar eerst Jolien, want die is jarig.'
Ze liepen de huiskamer in, waar de ouders van Steven al zaten. Ze begroetten elkaar hartelijk.
'Heb je een nieuwe bril?' vroeg Stevens moeder aan Marijke.
'Inderdaad. Leuk dat je het ziet. Het valt bijna niemand op.'
'Ik zag het meteen. Je ziet er echt anders uit dan de vorige keer dat ik je zag. Dat was zeker op Sterres verjaardag? Hij staat je goed.'
'Hoezo nieuwe bril?' Karin had het gesprek gehoord en keek haar moeder nu onderzoekend aan.

'Ja, dit is een andere bril. Deze is rood. De vorige was bruinig.'
'Ik zie er niets van,' zei Karin. 'Willen jullie koffie?'
'Ik zag het ook niet, hoor,' zei Johan geruststellend tegen Karin.
'Een pop!' gilde Jolien. 'Wat een mooie!' Trots hield ze het cadeau van Marijke en Johan in de lucht. 'Mamma, kijk, heb ik gekregen!'
'Ja, mooi, meisje, maar je moet niet zo gillen.'
'Die past hierin!' gilde Jolien nog harder en rende op de poppenwagen af, die ze blijkbaar van de ouders van Steven gekregen had.
'Ik zei dat je niet zo moet gillen!' Karin greep Jolien bij een arm en trok haar naar zich toe. 'Kijk me aan.'
Jolien was op slag stil en keek benepen naar de vloer.
Ook de anderen vielen stil en Karin merkte dat alle aandacht opeens op haar gericht was. Ze liet Jolien los en verdween naar de keuken. Marijke volgde haar. 'Kan ik ergens bij helpen?' Ze had liefst heel wat anders gezegd, maar dit was niet het geschikte moment met een jarige Jolien en de ouders van Steven in de huiskamer.
'Helpen? Dacht je dat ik het alleen niet afkon?'
'Karin, natuurlijk niet. Ik bied je alleen maar twee handen aan.'
'Die heb ik zelf.'
'Sorry, hoor, ik dacht: het is zo druk, een beetje hulp kan geen kwaad.'
'Ik red me prima.'
'Mooi, dan ga ik weer.' Marijke liep hoofdschuddend terug naar de huiskamer. Zo gek was het toch niet om je hulp aan te bieden als iemand koffie en gebakjes op moest halen?
In de kamer bleek het toch een stuk rustiger geworden te zijn. Sterre zat bij Stevens moeder op schoot met de puzzel die ze net van Marijke en Johan gekregen had. Jolien stond bij haar poppenwagen en dekte haar nieuwe pop vol liefde en aandacht toe. De twee opa's stonden met Steven de televisie te bekijken. Marijke liep op hen af.

'Moet je zien,' zei Johan enthousiast. 'Dit is wel een super-deluxe geval, zeg, en wat een prachtig beeld.'

Marijke knikte. 'Het lijkt haast wel een kleine bioscoop, zo groot.'

'Tegenwoordig zijn alle televisies zo groot,' zei Steven. 'Je kunt haast geen kleine meer kopen. We willen hem nog aan de muur bevestigen, maar dat lukt me niet alleen.'

'Wanneer zal ik komen?' vroeg zijn vader. 'Of zullen we het straks doen?'

'Nee, straks maar niet, het is al druk genoeg zo. Ik denk niet dat Karin het op prijs stelt als we vandaag gaten gaan boren.'

'Oké, kom ik maandagavond. Is dat wat?'

Steven lachte. 'Nee, dan ga ik toch naar de sportschool, maar dinsdag zou mooi zijn.'

'En toen was er koffie,' zei Johan, die Karin binnen zag komen met een groot dienblad.

'Taart!' gilde Jolien nu opeens toch weer, maar dat leverde haar een woeste blik van Karin op. Marijke zag het meisje ineenkrimpen en schudde opnieuw haar hoofd. Zo kende ze Karin niet. Wat was er toch met haar aan de hand?

Nadat iedereen koffie gekregen had en de kinderen appelsap, kwam Karin dan toch binnen met de taart. Er brandden drie kaarsjes op en Jolien viel compleet stil. Met grote ogen keek ze naar de vlammetjes, maar ze durfde niet dichterbij te komen. Marijke voelde plotseling een intens medelijden met dit kleine meisje. Het ging hier echt niet goed! Of zag zij meer dan er was? Stond ze zo op scherp dat ze elk detail extra duidelijk waarnam en inderdaad van elke mug een olifant maakte, zoals Johan haar verweten had? Karin zette de taart op tafel en riep Jolien. 'Kom, je mag de kaarsjes uitblazen.'

Jolien kwam dichterbij, maar deed geen poging om te blazen.

'Je moet ze uitblazen,' zei Karin. 'Dat hoort zo als je jarig bent.'

'Maar ze zijn mooi,' vond Jolien.

'Dat kan wel zijn, maar je moet toch blazen. Kom, ik heb niet de hele dag de tijd.' Ze stak haar hand uit naar Jolien om haar bij de arm te pakken, maar het meisje was er deze keer op voorbereid en deed op tijd een stap achteruit.

'Je kunt er ook wel punten van afsnijden terwijl de kaarsjes branden,' zei Stevens moeder. 'Jolien heeft gelijk, het staat heel feestelijk.'

'Dat hoort niet,' zei Karin duidelijk geërgerd. 'Ze moeten uit.'

'Ze is pas drie. Hoe kan ze nou snappen waarom ze uit moeten.'

Karin wierp haar een geïrriteerde blik toe, maar begon toch de taart aan te snijden.

Marijke zag de blik in de ogen van Stevens moeder en wist opeens dat het niet aan haar lag. Zij was het niet die van elke mug een olifant maakte. Het was Karin die op de een of andere manier niet goed in haar vel zat en dit afreageerde op de anderen. Ze voelde ook een schaamte, want dit was wel haar dochter, op wie ze altijd zo trots was geweest. Maar nu bekeek ze haar door de ogen van Stevens moeder en ze voelde wat de vrouw voelde: dit was niet pluis.

Gelukkig werden ze gestoord doordat de bel ging en een paar tellen later was het een drukte van belang in de huiskamer, omdat Tim met zijn vrouw en kinderen binnenkwam.

'Cadeautje?' riep Sterre.

'Hé, jij bent toch niet jarig,' zei oom Tim lachend, maar hij tilde de kleine meid op en begroette haar met een kus. 'Eerst Jolien een cadeautje,' zei hij, 'dan jij.'

Marijke glunderde en genoot ervan haar beide kinderen samen te zien. Het was al zeker een maand geleden dat ze Tim en zijn gezin gezien had. Toch kreeg ze eerst geen kans de beide jongens te begroeten. Johan was haar voor en de begroeting was uiterst hartelijk en joviaal.

'Ik zit op voetbal, opa!' zei Jorm, de oudste zoon van Tim.

'Dat meen je niet! Waarom wist ik dat niet. Heb je al een wedstrijd gespeeld?'

'Vanmorgen!'

'Wat spannend, zeg. En? Gewonnen of verloren?'
'Gewonnen met acht-nul.'
'Gefeliciteerd. Wat leuk. Mag ik eens komen kijken?' vroeg Johan.
'Ik ga ook op voetbal, opa,' zei Ivo, die duidelijk ook in opa's aandacht wilde staan.
'Als je ook zes bent,' zei Tim lachend. Hij gaf zijn vader een hand.
'Ik ben al vijf, hoor!'
'Wat een schitterende televisie,' riep Tim uit, die plotseling zijn vader en kinderen vergat en op het nieuwe toestel af liep. 'Moet die niet aan de muur opgehangen worden?'
Marijke lachte en maakte van de gelegenheid gebruik haar twee kleinzoons te begroeten. 'Jullie zijn alweer gegroeid!' Ze knuffelde ze, maar Jorm stelde dat niet zo op prijs.
'Hij is inderdaad groter geworden,' zei Lucy, de vrouw van Tim.
'Hij wil mij zelfs niet meer kussen als hij naar school gaat.'
'Tja, zo gaat dat, maar wees gerust,' zei Marijke, 'het is een fase en elke fase gaat voorbij.'

Aan de ene kant was het heel gezellig, vond Marijke, met haar beide kinderen en haar vier kleinkinderen. Aan de andere kant had ze het gevoel dat ze voortdurend op het puntje van haar stoel zat, bang dat Karin weer iets onaardigs zou zeggen of doen. Ook merkte ze dat ze de hele tijd haar twee kinderen vergeleek, wat misschien niet hoorde, maar ze kon er niet aan ontkomen. Tim straalde de rust zelve uit, praatte belangstellend met dan die en dan die en had ondertussen alle tijd en aandacht voor zijn kinderen. Terwijl Karin zich duidelijk opgejaagd voelde en voor niemand tijd had. Marijke begreep dit niet. Als een vreemde die twee zou zien, zouden ze vast niet geloven dat ze broer en zus waren, dat ze door dezelfde ouders waren opgevoed. Was er altijd al zo'n verschil geweest? Had ze Tim anders opgevoed dan Karin? Vreemd, dat ze dit zich nooit eerder had afgevraagd.

'Zeg, zullen we even naar buiten gaan om een sigaretje te roken?'
stelde Stevens moeder opeens voor.
Marijke keek haar bevreemd aan. Ze had nog nooit van haar leven
gerookt, maar ze knikte en volgde de vrouw naar de achtertuin. 'Is
er wat?'
Stevens moeder stak een sigaret op, blies de rook uit en keek
Karin toen aan. 'Ja, er is wat, al vind ik het moeilijk te zeggen,
maar vind je zelf ook niet dat Karin...'
Marijke voelde al haar stekels overeind gaan staan. Geen kritiek
op Karin, dacht ze. Dat zou ik niet kunnen verdragen.
'... zo kortaangebonden is?'
'Dat valt wel mee, toch?' hoorde ze zichzelf zeggen, al kon ze
eigenlijk niet anders dan het met haar eens zijn. 'Ze zal het wel
erg druk op haar werk hebben. Het is ook niet niks om moeder te
zijn van twee peuters en een belangrijke baan op een advocatenkantoor te hebben.'
'Dat is waar, maar als het haar te zwaar valt, zou ze die baan moeten opzeggen.'
'Natuurlijk niet,' viel Marijke uit, die als moeder niet anders kon
dan haar dochter verdedigen. Zelfs tegen haar eigen gevoelens in!
'Ze heeft er hard voor gewerkt en ze is niet voor niets afgestu-
deerd in de rechten. Daar moet ze iets mee doen.'
'Dat zal wel, maar niet ten koste van de kinderen.'
'Je kunt ook overdrijven,' vond Marijke, maar ze keek de vrouw
niet langer aan. Eén ding wist ze zeker: nu moest ze het echt
bespreekbaar maken met Karin. Als zelfs haar schoonmoeder
vond dat ze te ver ging. 'En waarom moet zij haar baan opzeggen? Dat zou Steven ook kunnen doen.' Marijke merkte dat ze
zich in moest houden. Er was geen enkele reden om boos te zijn
op Stevens moeder, nee, ze was het zelfs met haar eens, en toch
ergerde het haar dat de vrouw Karin ter sprake bracht.
'Oké, het is je dochter. Ik had misschien niets moeten zeggen,
maar ik vind dat ze anders is dan anders en het leek me meer op
jouw weg liggen daar iets van te zeggen dan op de mijne.'

Marijke zweeg.

'Ik heb Steven ook al gevraagd wat er is en die zegt hetzelfde als jij: ze zal het wel te druk hebben. Toch is dat geen excuus om onaardig te zijn tegen je kinderen en dat is ze.'

Marijke knikte onzichtbaar. 'Het is vandaag natuurlijk extra druk. Karin heeft zich uitgesloofd om alles prima voor elkaar te hebben. De soep en broodjes waren meer dan voortreffelijk. Als Jolien dan opeens wat te hard gilt, kan dat verkeerd vallen. Zo erg is het allemaal echt niet.'

'Nou ja, ik zal het er nog eens met Steven over hebben. Ondertussen hoop ik toch dat jij er eens met Karin over praat.'

Edith moest hartelijk lachen om Marijkes verhaal over hoe Johan haar verwend had met ontbijt op bed op dierendag. Ze had voor deze woensdagavond een tafeltje gereserveerd bij een italiaan en ze zaten te genieten van een glas rode wijn en een schaaltje olijven, in afwachting van de lasagne die ze besteld hadden. 'Zulke dingen hoor ik graag,' zei Edith duidelijk gemeend. 'Zoals jullie met elkaar omgaan, geweldig vind ik dat.'

'Echt?' vroeg Marijke, die zich opeens schaamde voor haar verhaal. Normaal vertelde ze zo weinig mogelijk over haar huwelijk, omdat ze bang was dat ze er Edith pijn mee zou doen en dat wilde ze beslist niet. Maar haar hoofd zat zo vol van Karin en van Johans kijk op de situatie. Daar wilde ze Edith dus echt niet mee lastigvallen. Daarom had ze ervoor gekozen iets leukers te vertellen, zonder te bedenken dat ze Edith anders juist zo weinig mogelijk vertelde over hoe het tussen Johan en haar was.

'Natuurlijk! Er lopen zo veel huwelijken spaak. Ik vind het heerlijk om te horen dat er ook huwelijken zijn waar het goed gaat.' Marijke pakte een olijf en stopte die in haar mond. Ze keek haar onderzoekend aan en Edith zuchtte. 'Oké, jij je zin.' Ze glimlachte. 'Ik ben best ook weleens strontjaloers op jou en op al die andere getrouwde vrouwen en nog meer op moeders, maar ja...' Ze haalde haar schouders op. 'Dat lot was mij niet beschoren.'

'Heb je vroeger ook nooit vriendjes gehad?' vroeg Marijke. Ze kende Edith van een schildercursus waar ze zich ooit – zo'n twintig jaar geleden nu – voor hadden opgegeven. Marijkes kinderen waren toen al flink aan het puberen. Edith was alleen en ook altijd alleen gebleven. Maar hoe dat zo gekomen was, had Marijke nooit durven vragen. Het was zo. Edith leek zich erbij neergelegd te hebben. Maar juist omdat Marijke niet wist hoe dat zo gekomen was, had ze maar zelden iets over haar huwelijk aan Edith verteld, bang als ze was dat het haar vriendin pijn zou doen. Er waren trouwens ook altijd genoeg andere onderwerpen geweest waarover ze konden praten.

'Heus wel,' zei Edith nu. 'Op de middelbare school heb ik er een paar gehad en toen ik 25 was, dacht ik zelfs de ware gevonden te hebben. Met hem wilde ik echt graag trouwen. Hij vroeg me alleen nooit, terwijl we al drie jaar met elkaar gingen.' Ze keek meewarig. 'In die tijd waren vrouwen nog niet zo mondig dat ze de man dan maar zelf ten huwelijk vroegen. En ik al helemaal niet. Ik was behoorlijk verlegen. Daar ben ik gelukkig wel overheen gegroeid, maar destijds kwam het niet in me op om hem te vragen. Dus ik wachtte en hoopte, maar hij vroeg niets. Ha, daar is onze lasagne.'

Marijke keek op en zag hoe een jonge Italiaan twee borden met eten kwam brengen. 'Lekker,' zei ze. 'Het ruikt goed!'

'Wilt u nog iets drinken?' vroeg de Italiaan.

'Ja, ik wil nog wel een glas wijn,' zei Edith.

'Ik niet, water graag, zonder bubbels.' Marijke wachtte tot de man weg was en keek Edith toen afwachtend aan. Het was heel bijzonder dat ze hierover sprak, dat Marijke eindelijk na twintig jaar te horen zou krijgen waarom Edith alleen was. Had ze er wel goed aan gedaan de vraag te stellen? Uit zichzelf had Edith immers nooit iets over haar verleden verteld. Ze wilde een hand op die van Edith leggen, niet om haar aan te moedigen, maar om haar excuses aan te bieden voor de vraag, maar voordat ze zich bewoog, ging Edith aarzelend verder. 'Tja, hoe zal ik het zeggen…' Ze pakte het bijna lege glas wijn en dronk het bodempje in een teug op.

'Je hoeft niets te zeggen,' zei Marijke nu toch. 'Ik had je dat niet mogen vragen.'

'Meid, waarom niet. We kennen elkaar nu eeuwen. Als je het destijds gevraagd had, was ik vast meteen op je afgeknapt, maar als ik er nu nog niet overheen ben…' Ze keek haar aan en glimlachte. 'Anton heette hij. Op een dag kwam er een collega in de lunchpauze op me af. Ik werkte toen op een kantoor in Amstelveen. Ze zei: 'Jij gaat toch met Anton? Die man met dat rode haar?' Ik knikte, begreep niet waar zij hem van kende. Hij woonde in Zandvoort en volgens mij hadden ze elkaar nog nooit ontmoet. Daar had ik ook gelijk in, maar ze was met een andere collega van mij, die Anton weleens ontmoet had, naar een strandfeest in Zandvoort geweest. Ik wist helemaal niets van dat feest. Hij had mij er niet voor gevraagd, maar hij was er wel. De collega die hem eens ontmoet had, liep op hem af en vroeg waarom ik er niet was. Hij keek haar aan alsof hij nog nooit van mij gehoord had.' Ediths gezicht betrok en ze keek naar haar bord, pakte mes en vork en begon een stukje van de lasagne te snijden. 'Het is nu eh… 27 jaar geleden, maar ik kan er blijkbaar toch nog boos om worden.' Ze nam een hap en kauwde er zorgvuldig op.

Marijke zag donkere wolken in haar ogen verschijnen. 'Sorry dat ik het vroeg. En je hoeft het me echt niet te vertellen. Het gaat me immers niets aan.'

'Ach,' zei Edith terwijl ze probeerde te lachen. 'Ik stel me aan. Zoiets komt dagelijks voor, maar ik had het niet verwacht en de klap was erg groot. Hij was op dat feest met een andere vrouw en hij deed niets anders dan haar zoenen en volgens die collega waren ze zelfs een poos de duinen in verdwenen.'

'Edith toch!'

'Ik lachte haar uit. 'Dat was mijn Anton niet,' zei ik. Maar die collega zei dat onze andere collega er honderd procent zeker van was. Die wilde het alleen niet vertellen, want ze vond dat het haar niets aanging wat mensen deden. Deze collega vond dat ik het wel moest weten en hoewel ik woest op haar was, ben ik haar er later toch wel heel dankbaar voor geweest. Ik dacht dat Anton te vertrouwen was.'

'Dus hij was het echt?'

'Ik heb het hem gewoon verteld. Ik ging er nog steeds van uit dat hij het niet was. Hij hield van mij, dacht ik en trouwens, dat zei hij ook zeer geregeld! Hij zei direct dat mijn collega's zich vergisten, hij was niet op een strandfeest geweest. Dat had voor mij genoeg moeten zijn. Ik wilde het ook graag geloven. Mijn collega had hem maar een keer ontmoet. Het lag voor de hand dat ze zich vergiste. Maar Anton keek me niet recht aan toen hij tegen me sprak en dat maakte dat mijn argwaan de kop opstak.' Ze nam een slok wijn en keek Marijke aan. 'Wat kan een mens zich gekwetst voelen, nietwaar? Het waren een paar hete weken en het leek me heerlijk om in het weekend met hem naar het strand te gaan, maar hij zei dat hij het komende weekend moest werken. Dat gebeurde vaker en ik had het altijd geloofd. Hij was taxichauffeur en die moeten dag en nacht rijden. Maar toen het zaterdagmiddag was, hield ik het niet langer vol. Ik sprong in mijn autootje en reed naar Zandvoort. Als hij niet kon, kon ik wel alleen naar het strand, toch? Maar dat was het niet alleen waarom ik naar Zandvoort reed. Ik wilde weten of hij echt moest werken. Ik had het adres van zijn taxibedrijf in de telefoongids opgezocht en reed erheen, vroeg of ze hem voor me konden oproepen en kreeg te horen dat hij vrij was en dus gewoon thuis te bereiken moest zijn. Dat was de eerste klap, hoewel die niet echt hard aankwam, want ik had het vreemd genoeg vermoed. Drie jaar lang had ik het volste vertrouwen in hem gehad, en plotseling was dat over. Ik parkeerde bij het strand en liep langzaam naar 'ons' plekje. Met mijn blote voeten door het warme zand, de wind in mijn haren. Er lagen wat jongemannen op handdoeken en ze floten naar mij. Dat werkte. Verlegen of niet, ik rechtte mijn rug en voelde me sterker dan ooit. Nog twee duinen en dan kwam ons plekje. Ik zag meteen dat het bezet was. Logisch, het was een heerlijk beschut plekje, dus bij iedereen gewild. Maar ik zag ook meteen dat een van de handdoeken die er lagen van Anton was. Die had ik hem zelf cadeau gegeven op zijn verjaardag. Er lag een groot wit badlaken naast. Dat zei me genoeg.' Edith schoof haar halflege bord opzij en pakte het wijnglas op. Ze hield het voor zich en zag het licht van de kaarsen op tafel in de rode vloeistof fonkelen. Ze glimlachte. 'Weet je, eigenlijk is het weleens goed dat ik iemand het hele verhaal vertel. Dat heb ik nog nooit gedaan. Heb je nog even?'

Marijke grijnsde. 'De hele avond, hoor! Heb je er echt nooit met iemand over gepraat?'

'Nee, ik schaamde me in eerste instantie te pletter. Zocht de schuld bij mezelf. Ik was zeker niet lief of goed genoeg geweest. Ik durfde thuis niet eens te vertellen dat het uit was. Daar kwamen ze pas met Kerst achter, toen ik zonder Anton aan de kerstmaaltijd verscheen.'

'Dat denk je toch nu hopelijk niet meer?'

'Nee, gelukkig niet. Ik weet nu dat zulke mensen bestaan. Mensen die nooit genoeg hebben aan één vrouw, mensen die het spannend vinden er een relatie naast te hebben. Mensen die je nooit op hun woord kunt geloven.'

'Hoe ging het verder? Weet je van wie dat witte badlaken was?'

'Ik ben er gewoon naast gaan liggen. Ik bedoel: ik heb die witte handdoek opgevouwen en mijn eigen handdoek naast die van Anton gelegd, mijn kleren uitgetrokken – ik had mijn badpak eronder aan, hoor – en ik ben op mijn handdoek gaan liggen. Ogen dicht en luisteren. Mijn oren deden haast pijn van de inspanning om de verschillende geluiden te kunnen onderscheiden. Ik weet niet waarom ik dat deed. Misschien wilde ik demonstreren dat Anton van mij was. Ik wilde doen alsof ik daar hoorde en lekker lag te slapen op 'ons' plekje, maar ik wilde tegelijk niet overvallen worden door hem en zijn vriendinnetje, vandaar dus dat ik mijn oren spitste. Na een minuut of tien hoorde ik zijn stem. Mijn hart sloeg een tel over. Dat was de man van wie ik al drie jaar hield en met wie ik wilde trouwen! Ik was zo benieuwd tegen wie hij sprak, maar het had geen zin mijn ogen te openen, want de zon zou me verblinden, dus ik bleef doodstil liggen om te horen hoe het verder ging.'

Marijke schudde meelevend haar hoofd. 'Je maakt er voor mij op deze manier wel een spannend verhaal van.'

Edith grijnsde. 'Dat dacht ik later ook. Waarom heb ik zo raar gedaan? Waarom was ik niet gewoon rechtop gaan zitten, zodat ik ze meteen kon zien aankomen. Ik denk echt omdat ik wilde aangeven dat dit mijn plekje was, van mij en van Anton en niet van Anton en een ander. Nou ja, ik hoorde opeens een vrouwenstem zeggen: 'Kijk dan, Anton, er ligt een vreemd mens op mijn handdoek.' Hij zag natuurlijk meteen dat ik het was, maar ik deed nog steeds of ik sliep, al ging mijn hart zo tekeer, dat hij het haast wel moest zien bonken. Ik weet niet wat er allemaal door mijn aderen stroomde op dat moment, maar het was veel. Woede, haat, verdriet, pijn. Ik voelde me grof beledigd, als vuil behandeld. Ik was tot het uiterste gespannen van de zenuwen, merkte ik. Als hij me aan zou raken, zou ik uit elkaar ploffen. Ik had nog nooit gewelddadige neigingen gehad, maar toen wist ik niet zeker of ik mezelf wel onder controle kon houden als hij handtastelijk zou worden. Ach, daar komt onze minipizza.'

De ober kwam opnieuw met twee borden en keek hen vragend aan. 'Quattro stagioni?' vroeg hij.

'Dat was ik,' zei Marijke.

Hij zette de borden neer. 'Smakelijke voortzetting,' zei hij.

'Zeg,' riep Edith hem na. 'We hadden een minipizza besteld.'

'Ja?'

'Noem je dit een minipizza?'

'Is hij te klein?' vroeg de ober geschrokken.

Marijke en Edith schoten samen in de lach. 'Nee, te groot!' riepen ze in koor.

'O, gelukkig. Nou, wat u niet op kunt, laat u maar liggen, dat geven we dan morgen aan de schapen.'

'Eerlijk?' vroeg Marijke verrast. 'Gooit u dat niet weg?'

'Nee, hoor, wij geven altijd alles aan de schapen.' Opgewekt liep hij weg.

'Vertel verder,' drong Marijke aan. 'Want hoe dramatisch het ook voor jou was, ik ben echt benieuwd naar de afloop. Het is spannend!'

Edith grinnikte. 'Ja, plotseling komt het op mij ook zo over. Ik kon altijd wel janken als ik eraan terugdacht en als het al eens bovenkwam de laatste jaren, drukte ik het meteen weer weg, bang dat ik opnieuw verdrietig en woest zou worden. Nu ervaar ik het zelf ook als een spannend verhaal. Zie je, ik had er veel eerder over moeten praten. Oppotten is niet goed. Proost, meid.' Ze hief haar glas op. Marijke had geen wijn meer, maar hield haar glas water omhoog. 'Op onze vriendschap.'

'Ha, daar wilde ik het straks ook nog over hebben,' zei Edith. 'O?'

'Ja, maar nu Anton. Hij deed niks, dus die vrouw begon klaaglijk te jammeren: 'Anton, dat kan toch niet. Jaag dat mens weg.' Maar blijkbaar was hij niet zo'n held als ik altijd gedacht had. Hij wist natuurlijk drommels goed wat hem te wachten stond als hij mij wakker maakte. Dus moest ik zelf maar wakker worden. Traag deed ik mijn ogen open en keek verrast op, omdat er mensen stonden. Ik ging zitten en schermde mijn ogen af voor de zon om ze te kunnen zien. 'Anton, schat, je bent tóch vrij!' riep ik enthousiast. 'Wat een verrassing!' Hij zei niets, maar zij keek van de een naar de ander en greep hem toen beet: 'Wie is dat?' Anton zei nog steeds niets. Op dat moment wist ik opeens dat ik die collega dankbaar moest zijn. Ik begreep ook niet hoe ik drie jaar van hem had kunnen houden. Hij viel volledig door de mand en ik was even zelfs blij dat ik van hem af was, want dat was het resultaat natuurlijk. Ik zou het alleen niet kunnen uitstaan dat hij dan met haar ging. Dus ik zei poeslief: 'Ik ben zijn verloofde.' Ik pakte haar witte badlaken en stak het haar toe. 'Dit is van jou, neem ik aan?' Ze griste me het laken uit handen, keek Anton aan, zei woest: 'Je zei dat je vrij was!', gaf hem een klap in zijn gezicht, pakte haar tas en verdween over het strand. Ik ging ook staan, vouwde mijn handdoek op, pakte mijn tas met kleren en keek hem lachend aan. 'Goed voorbeeld doet goed volgen,' zei ik tegen hem en sloeg hem op zijn andere wang. Ik heb nooit meer iets van hem gezien of gehoord.'

'Pffff, wat een verhaal,' vond Marijke, die ondertussen al van de pizza geproefd had. 'Maar hij is toch niet de reden waarom je daarna nooit meer een vriend hebt gekregen?'

'Heel lang wel,' zei Edith zacht. 'Ik was eigenlijk wel blij dat ik van hem af was, maar tegelijk schaamde ik me dat ik hem niet voor mezelf had kunnen houden. En ik was woest vanwege het vertrouwen dat ik in hem gehad had. Jarenlang heb ik geen vriend willen hebben. Ik werd erg afstandelijk en dat voelt een man meteen. Toenaderingspogingen waren er dan ook niet. Later heb ik een assertiviteitstraining gedaan en leerde ik inzien dat het niet aan mij lag, zoals Anton geleefd had, en dat lang niet alle mannen zo waren. Ik werd weer wat vriendelijker, opener, maar toen was het blijkbaar te laat. Ik ben nooit meer iemand tegengekomen.'

'Wat jammer voor je,' vond Marijke.

'Ach, ik ben eraan gewend. Het is zo. Ik heb genoeg andere dingen in mijn leven waar ik erg van kan genieten. Vooral mijn werk vind ik erg leuk. Ik ben altijd dol geweest op lezen, dus ik vind echt dat ik bof dat ik hier die baan als bibliothecaresse kon krijgen en zo altijd als een van de eersten de nieuwste boeken in handen krijg. Ik heb trouwens nog leuk nieuws te vertellen.'

'Laat horen.'

'In het voorjaar heb ik een expositie in het ziekenhuis.'

'Expositie? Edith, wat geweldig! Sjonge, gefeliciteerd, zeg.'

Ze lachte. 'Dank je. Het is ook wel een kroon op mijn werk. Geen idee of ik er iets verkoop, maar blijkbaar zijn mijn schilderijen goed genoeg om getoond te worden.'

'Natuurlijk zijn ze dat. Dat heb ik altijd al gezegd. Je was zo veel beter dan ik. Ik prutste maar wat en ben er ook al snel weer mee gestopt, maar jouw schilderijen hebben echt iets. Als het zover is, moet je het me laten weten, hoor,' zei Marijke. 'Dan wil ik ook komen.'

'Joh, je krijgt een officiële uitnodiging. Je bent toch mijn vriendin? En dat is waar ook, daar wilde ik het ook nog over hebben. Ga je volgende maand met me mee op vakantie naar de Canarische Eilanden?'

'Wat?' Marijkes mond viel open.

'Ik zei net wel dat ik het geaccepteerd heb dat ik alleen ben, toch is het niet altijd leuk om alles alleen te doen. Ik ben al zo vaak alleen op vakantie geweest, maar het leek me heerlijk om eens samen met een ander te gaan en omdat jij mijn vriendin bent, dacht ik aan jou.'

'Ik weet even niet wat ik moet zeggen,' zei Marijke beduusd. 'Ik ben nog nooit zonder Johan op vakantie geweest. Ik moet echt even aan het idee wennen. Het is niet zo dat ik niet met jou zou willen, nee, dat zie ik wel zitten, maar zonder Johan?'

'Waarom niet? Je mag toch weleens iets zonder je man doen?'

'Natuurlijk mag dat, anders zat ik hier bijvoorbeeld niet, maar vakantie? Hoe lang?'

'Tien dagen.'

'En waarom zo snel al?'

'Dat komt alleen maar omdat ik een leuke last minute zag. Heel goedkoop. Natuurlijk mag het ook later, in het voorjaar of zo, maar dan ná mijn expositie.'

Marijke knabbelde peinzend op de harde rand van de pizza. 'Misschien is het eigenlijk best wel leuk. Het zou niet in me opkomen, maar samen met jou zou de vakantie wel heel anders zijn. Ik vind het ook altijd erg leuk om ergens samen met jou koffie te drinken of uit eten te gaan, zoals nu. Dat is ook altijd anders dan met Johan. Hm, eigenlijk klinkt het best heel aantrekkelijk. Wanneer precies? Ik moet natuurlijk wel vrij vragen en ik weet niet of dat op zo'n korte termijn lukt.'

Edith begon te glunderen. 'Zeg je nu ja?'

'Ik geloof het wel,' lachte Marijke. 'Weet je wat? Ik bespreek het vanavond nog met Johan en als die er niet al te erg op tegen is, ga ik morgen kijken of ik vrij kan krijgen. Ik laat het je morgenavond weten.'

'Ik hoop dat het doorgaat. Als ik met een gezelschap op reis ga, zitten er altijd wel leuke mensen tussen, maar meestal zijn het toch stellen – echtparen of vriendinnen – en vaak voel ik me dan het vijfde rad aan de wagen. En om alleen in een hotel of appartement te gaan zitten, dat vind ik niet leuk. Samen met jou lijkt het me echter heerlijk. Kijk, dit zijn de foto's van het appartement.' Ze had haar handtas tevoorschijn gehaald en pakte er nu een paar A4'tjes uit die ze uitgeprint had. 'En het is er nog heel aangenaam wat temperatuur betreft. We vertrekken op zaterdag en we komen terug op maandag, dan ben je toch altijd vrij? Volgens mij vallen er dan maar drie werkdagen in voor jou.'

'Moet je dat blauwe water zien. Ik krijg er al helemaal zin in,' zei Marijke. 'Ik ga het echt meteen met Johan bespreken.'

'Mooi zo. En dan wil ik nu nog graag weten wat je dwarszit.'

'Hoezo?' Marijke trok haar wenkbrauwen hoog op.

'Ja, ik zag het echt wel. Je vertelde zo leuk over hoe Johan je op bed verwende op dierendag, maar eigenlijk wilde je over heel iets anders praten. Ik dacht eerst zelfs dat je problemen met hem had, maar daar twijfel ik nu aan. Wat is er, Marijke?'

'Daar wil ik je niet mee lastigvallen.'

'Dus er is echt iets? Waar zijn we nou vriendinnen voor?'

'Tja, dat is een goede vraag. Ik heb je altijd enorm gemogen en ik mag je nog heel graag. Toch hoor ik vandaag pas voor het eerst waarom je alleen bent. Het heeft me nooit dwarsgezeten dat ik het niet wist. Ik durfde er zelf ook niet naar te vragen. Ik bedoel alleen maar te zeggen dat er altijd dingen geweest zijn die we niet samen bespreken. En ik wil jou niet lastigvallen met mijn zorgen over mijn dochter.'

Edith legde haar bestek op het bord en keek Marijke fronsend aan. 'Ik schaamde me voor mijn verhaal over Anton. Ergens vond ik het van mezelf belachelijk dat ik het hem destijds zo kwalijk had genomen, dat ik geen man meer vertrouwde en dus door hem een alleenstaande vrouw geworden ben. Misschien schaam jij je wel voor je zorgen over je dochter. Het is nu eenmaal niet leuk om te moeten toegeven dat je problemen hebt. Ondanks dat we al twintig jaar met elkaar omgaan, hebben we dus toch altijd enige reserve in acht genomen naar elkaar toe of om onszelf te beschermen. Ik vind dat we daarmee moeten stoppen en vanaf nu geen schaamte meer naar elkaar moeten hebben. We zijn vriendinnen of we zijn het niet. Zo denk ik erover. Dus?'

HOOFDSTUK 6

'Zo, ben je er eindelijk weer?' Johan keek lachend op van de televisie. Voetbal, zag Marijke tot haar teleurstelling. Ze wist hoe gek hij daarop was en dat hij dan liever niet gestoord wilde worden. 'Ja, we hebben het lang volgehouden,' zei ze. 'We werden bijna het restaurant uitgekeken op het laatst, maar we hadden ook zo veel te bepraten en we waren nog lang niet klaar.'
'O?' Hij keek haar belangstellend aan.
'Ik vertel het nog weleens. Kijk jij nou maar voetbal.'
'Welnee,' zei hij, en drukte de televisie uit.
'Hè? Hoef je niet...?'
'Dit heb ik al honderd maal gezien. Allemaal herhalingen van vroeger. Dus het was gezellig? Wil je nog iets drinken?'
'Glaasje wijn zou er nog wel ingaan. Ik heb voornamelijk water gedronken daar.'
'Oké, haal ik dat even op.' Hij stond op van de bank en liep naar de andere kant van de kamer.
Marijke ging gezellig in de andere hoek van de bank zitten en vroeg zich ondertussen af hoe Johan zou reageren als ze van Ediths vakantieplannen vertelde.
'Alsjeblieft. Waar hebben jullie het over gehad?' Hij ging ook weer op de bank zitten en keek haar belangstellend aan.
'Ha, ik heb verteld hoe jij me verwend hebt op dierendag met ontbijt op bed. Daarop vertelde zij over een vroeger vriendje. We hebben het over mijn kinderen gehad en over haar schilderijen, maar... ze had ook een plannetje bedacht. Ze zei: we zijn nu al zolang bevriend, wordt het niet eens tijd om samen op vakantie te gaan?' Marijke keek hem vol verwachting aan.
'Samen? Hoe bedoelde ze dat. Wij met zijn drieën?'
'Nee,' riep Marijke uit. 'Alleen zij en ik. Zonder jou dus.'
'Wou jij zonder mij op vakantie gaan?'
'Dat was haar voorstel.'
'En hoe denk jij daarover?'

Ze zag dat hij zijn voorhoofd fronste en dat begreep ze best. Zo had ze zelf ook gekeken toen Edith het voorstelde. 'Ik heb er wel zin in.'

'Marijke.' Hij keek geschokt. 'Ben je me beu?'

'Malle man, natuurlijk niet. Nooit! Maar ja...' Ze haalde haar schouders op. 'We doen haast alles samen. Er zijn maar weinig dingen die we gescheiden doen. Ik ga eens naar mijn ouders, en soms volg ik een cursus. Dat doe ik dan ook alleen. Het leek me echt wel leuk. Natuurlijk kan met zijn drieën ook, maar je had ons moeten horen vanavond. Daar had je niet bij willen zitten. Daar was je gek van geworden, zoals wij kunnen kwekken.'

'Daar weet ik anders alles al van, hoor. Ik ken Edith ook al heel wat jaartjes.'

'Nou dan. Maar weet je, als jij erbij bent, zijn we veel stiller. Niet omdat jij het bent, maar omdat je een man bent. Vrouwen onderling kunnen nu eenmaal veel lekkerder praten als er geen man bij is. Althans, zo is dat voor Edith en mij en ook voor mijn moeder en mij,' schoot haar te binnen.

'Kan zijn,' mompelde hij.

'Het leek me echt wel leuk, Johan. Gewoon zo totaal anders dan ik gewend ben. En voor haar is het ook leuker dat ik alleen meega. Als ze met ons meegaat, voelt ze zich voortdurend het vijfde rad aan de wagen.'

'Ja, maar eh... Wat gaan jullie dan doen zo alleen, zonder man?' Marijke schoot in de lach. 'De bloemetjes buiten zetten en mannen versieren. Denk je dat? Hallo, dan weet je dus nog steeds niet hoe ik in elkaar zit. En zo is Edith ook niet. Als ze al een man wil, dan voor haar leven, niet voor één nacht of alleen tijdens de vakantie.'

'Denk je?'

'Tuurlijk, waarom niet?'

'Ach.' Johan haalde zijn schouders op. 'Soms denk ik dat ze misschien lesbisch is en daar niet voor uit durft te komen, maar in elk geval niet geïnteresseerd is in mannen.'

'Edith? Hoe kom je daar nou bij?'

'Omdat ze al haar hele leven alleen is.'

'En daarom is ze lesbisch? Dat slaat nergens op, Johan. Zoiets kan toch gewoon gebeuren, daar hoef je niet lesbisch voor te zijn. En ik weet ook dat ze dat niet is. Dat wist ik al die tijd al, maar sinds vanavond weet ik het zelfs zeker.'

Johan keek haar vragend aan, maar Marijke lachte. 'Misschien vertel ik dat nog weleens. Ik wil nu weten wat je ervan vindt als ik met haar op vakantie ga. Dan kan ik morgen kijken of ik vrij kan krijgen. Het is namelijk al volgende maand.'

'Nou ja, zeg, komt met een voorstel uit de lucht vallen en dan is er nog haast bij ook.'

'Dat komt omdat het een last minute is die spotgoedkoop is. Vanwege het geld kun je echt geen bezwaar hebben.'

'Hm...'

'Wat hm?'

'Ik zat toch net voetbal te kijken?'

'Ja?' Marijke kon deze sprong niet volgen.

Johan grijnsde. 'Toevallig bedacht ik vanavond dat het weleens leuk zou zijn om samen met Tim naar een groots toernooi toe te gaan, je weet wel, Europese voetbalkampioenschappen of zo. Jij vindt daar toch niets aan, maar Tim wel en plotseling had ik het gevoel dat het fantastisch zou zijn om samen met mijn zoon een paar dagen weg te gaan naar iets waar we allebei van kunnen genieten. Het is natuurlijk logisch dat ik nooit meer met hem ga stappen of dat we samen naar een wedstrijd kijken sinds hij getrouwd is, maar ik mis het soms wel. Vroeger gingen we wel naar Rotterdam of Amsterdam voor een bepaalde wedstrijd. Daar konden we altijd zo van genieten. Dat is er tegenwoordig niet meer bij en...' Hij haalde zijn schouders op.

'Dat lijkt me inderdaad geweldig leuk voor jullie,' was Marijke het met hem eens. 'Samen met je zoon op stap. Moet je echt doen!'

Hij knikte. 'Terwijl ik dat bedacht, dacht ik ook dat het raar zou zijn om jou niet mee te vragen. Ik ben immers ook nog nooit zonder jou van huis geweest. Toch voelde ik dat het niet leuk zou zijn als jij meeging. Net zoiets dus als wat jij over Edith zegt. Als ik graag alleen met Tim wil, kan ik er moeilijk bezwaar tegen maken dat jij alleen met Edith wilt. In elk geval begrijp ik dat het leuker voor jullie is als ik er niet bij ben.' Hij knikte. 'Het is even wennen aan de gedachte dat je zonder mij gaat of dat ik zonder jou zou gaan, maar waarom eigenlijk niet? We zijn twee verschillende mensen met verschillende wensen en ideeën.' Hij grinnikte. 'Nu ik dit zo hardop zeg is het haast vreemd dat we nog niet eerder zonder elkaar op vakantie zijn geweest. Oké, kijk maar of je vrij kunt krijgen en als jij vindt dat het financieel kan, mijn zegen heb je.'

Marijkes ouders begrepen er echter niets van. 'Heb je ruzie met Johan?' was het eerste wat ze vroegen en zelfs nadat Marijke het had uitgelegd, bleven ze het raar vinden.
'Wij zouden nooit zonder elkaar ergens heen gaan,' zei haar moeder.
Ook Karin vond het vreemd. 'Gaan jullie scheiden? Je hebt nog nooit wat zonder pappa gedaan.'
Marijke keek haar dochter verbaasd aan. Deze reactie had ze niet verwacht. 'Zo vaak,' protesteerde ze dan ook. 'Ik ben op cursussen geweest, ik ga soms uit eten met Edith.'
'Oké, maar weg van huis zonder pappa.'
'Zonder kinderen is leuker,' viel Steven in het gesprek en hij lachte de twee vrouwen toe.
Marijke knikte. Ja, dat was de reden waarom ze deze avond hier was. Steven had haar een paar dagen geleden gebeld om te vragen of ze wilde komen. Hij vond het een prachtig idee om een weekend weg te gaan alleen met Karin, maar hij kon haar niet zover krijgen. Misschien kon Marijke helpen. Dus was ze vanavond hierheen gereden. Mooi bijtijds zodat ze de kinderen nog eventjes kon zien. Ze lagen helaas al in bed, maar ze mocht nog wel een

verhaaltje voorlezen. Alleen niet te lang, had Karin direct vermanend gezegd, ze waren moe en moesten slapen. Dat laatste was wat moeilijk, want Jolien en Sterre waren helemaal opgetogen hun oma onverwachts te zien, waarna het dus weer was misgegaan. Karin had Marijke het boek uit de handen gerukt en haar de slaapkamer uitgeduwd, vervolgens de kinderen bars toegesproken en de deur dichtgeknald. 'Wat doe je hier dan ook rond deze tijd, als ze te moe zijn om nog fatsoenlijk te doen wat ik van ze vraag.'

'Ik had een nieuwtje,' zei Marijke, blij met het excuus dat ze bedacht had om langs te komen zodat het niet op zou vallen dat ze kwam omdat Steven het gevraagd had.

'Zo nieuw is dat niet, hoor, wij hebben ook een brievenbus.'

Van die reactie begreep Marijke niets en dat zei ze dan ook toen ze beneden waren. Al ging het haar aan het hart de trap af te lopen terwijl de twee meisjes duidelijk hoorbaar in bed lagen te huilen omdat oma alweer wegging. Tja, ze had beter veel eerder of later kunnen komen. Het was inderdaad fout geweest om juist op dit tijdstip te arriveren.

'Wat bedoel je met die brievenbus?'

'Dat wij ook een uitnodiging hebben gekregen, natuurlijk. Moet je koffie?'

'Ik moet niets, Karin, en ik blijf maar even, maar ik had wel gehoopt dat we gezellig konden praten en niet zo kortaf zoals jij nu doet.'

'Dus koffie,' snauwde ze en verdween naar de keuken.

Steven keek zijn schoonmoeder met een wanhopig gezicht aan.

'Zo doet ze de laatste tijd wel vaker.'

'En vraag je dan wat er is?'

'Altijd, maar meestal snauwt ze dan dat er niets is. Ik begrijp het niet. Ze is echt anders de laatste tijd. Daarom juist wil ik er even tussenuit met haar.'

'Dat lijkt me ook een prima idee. We moeten het er zo echt maar over hebben.'

Karin kwam weer binnen en zette koffie voor hen neer.

'Wat bedoelde je nu met die uitnodiging?' vroeg Marijke.

'Alsof jij dat niet weet. Dat hebben jullie heus wel samen bekokstoofd.'

'Karin, ik weet niet waar je het over hebt.'

'Die kaart van oma en opa,' riep ze uit met een gezicht waarop duidelijk te lezen stond dat ze geen begrip op kon brengen voor zo veel domheid.

'Ik weet nog steeds niet wat je bedoelt.'

Karin, die nog altijd stond, beende naar de kast en greep een stapeltje post, zocht ertussen en vond de kaart die ze bedoelde. Ze gooide hem haar moeder toe. 'Dit bedoel ik. Wat kan jij schijnheilig doen!'

'Karin!' riep Marijke uit. 'Nu heb ik er genoeg van. Waaraan heb ik het te danken dat je zo lelijk tegen mij doet? Heb ik iets verkeerd gedaan? Zit je iets dwars?'

Karin zweeg en ging bij hen zitten.

Marijke bekeek ondertussen de kaart en haar ogen werden groter en groter. 'Deze kaart hebben wij niet gehad en ik wist hier echt niets van. Maar een leuk idee vind ik het wel.' Opeens schoot ze in de lach. 'Nu weet ik wat opa bedoelde. Hij wilde me iets vertellen, maar dat mocht niet van oma. Het was nog geheim. Maar dat was dit natuurlijk. Ze zijn er vast al een poosje mee bezig.' Ze liet haar ogen nog eens over de regels gaan. *Op 30 januari kennen wij elkaar precies zestig jaar. Dat zouden we graag samen met onze hele familie willen vieren in bungalowpark Boschlust, waar we alle bungalows hebben afgehuurd van vrijdagmiddag tot zondagmiddag. Komen jullie ook?* 'Grappig, hoor,' vond Marijke. 'Ze zijn in februari 58 jaar getrouwd. Ik had eigenlijk over twee jaar een feest verwacht, maar deze datum is voor beiden natuurlijk erg belangrijk. Nou, misschien heeft de post een foutje gemaakt en krijgen wij de uitnodiging morgen pas. Ik hoop wel dat jullie komen.'

'Natuurlijk,' zei Steven voordat Karin iets kon zeggen. 'Veel te leuk toch om samen met de familie iets te doen.'

'Dus je kwam niet om dit nieuwtje te vertellen?' zei Karin.

'Nee, ik had ander nieuws. Ik ga namelijk volgende maand op vakantie. Samen met Edith. Die ken je wel.'

En die opmerking viel dus verkeerd. Karin begreep niet dat haar moeder daar zin in had en was dus bang dat haar ouders van plan waren te gaan scheiden.

Maar Steven bracht het onderwerp op een weekend zonder kinderen.

'Ja,' zei Marijke. 'Een weekend zonder kinderen ís heerlijk. Dat hebben wij in elk geval zo eens per twee jaar gedaan. Weet je dat nog, Karin? Dan gingen jullie bij opa en oma logeren. Later wilde je dat niet meer, maar dan ging je naar een vriendinnetje. Dat vond je wel erg leuk. Tim ging toch naar opa en oma, want hij vond het geweldig om met opa te gaan vissen. Pappa en ik vonden het heel belangrijk dat we af en toe even samen waren, zonder jullie. Niet omdat jullie ons te veel waren, maar omdat we ook man en vrouw waren, en dat schoot er weleens bij in met twee kinderen in huis.'

'Precies, en daarom lijkt het mij ook zo fijn om eens een paar dagen alleen met jou te zijn, Karin,' zei Steven terwijl hij zijn vrouw warm aankeek.

'Nou, ik heb er geen tijd voor en als je wilt vrijen, dat kan hier net zo goed.'

Even was Steven van zijn stuk gebracht. Dit was geen onderwerp waar hij graag over sprak in het bijzijn van zijn schoonmoeder. 'Eh…'

Marijke begreep hem en viel hem bij. 'Daar gaat het toch niet alleen om, Karin. Het gaat om het samenzijn, weer even zorgeloos genieten van elkaar, echt tijd hebben voor elkaar, zodat je elkaar weer beter ziet en meer waardeert. Met twee kinderen in huis is het altijd druk en vergeet je gemakkelijk dat je man of vrouw ook aandacht nodig heeft en vooral ook af en toe eens een compliment of een luisterend oor.'

'Heb je over mij geklaagd?' vroeg Karin haar man.

'Nee, maar je moeder bood laatst aan een weekend op Jolien en Sterre te passen en dat leek me een geweldig idee. Dus probeer ik je nu over te halen om samen met mij weg te gaan. Wat dacht je van een weekend Terschelling? Je hield altijd zo van de zee en de wind en van de zomer zijn we daar helemaal niet geweest, omdat je vond dat de kinderen nog te klein waren om aan zee te zijn.'

'Hoor je dat? Ze liggen nog te jammeren in bed.' Karin stond zo abrupt op dat haar stoel achterovraviel, maar Steven kwam ook gehaast overeind. 'Ik ga wel,' zei hij.

Marijke kon aan zijn gezicht zien dat hij een woede-uitbarsting van Karin verwachtte en dat hij die voorkomen wilde. Lieve help, dacht ze, is het echt zo erg hier? Is Steven zelfs bang voor haar? Karin?

'Mamma, ik haal nog even koffie.'

Marijke bleef alleen achter, maar na een paar minuten kwam ze overeind. Waar bleef Karin? Dit was hét ideale moment om even samen te praten, maar ze kwam alsmaar niet terug. Deed ze dat met opzet?

Karin keek op toen ze de keukendeur hoorde opengaan. 'Ik moest even koffie bijzetten. Ik had immers al gezet voordat je kwam, dus nu hebben we niet genoeg.'

'Karin...'

'Je wilt toch nog wel een kopje, anders doe ik alle moeite voor niets. Ik heb ook nog een appelpunt in de diepvries. Zal ik die er voor je uithalen?'

'Karin, ik...'

'Of heb je liever een stroopwafel?'

Marijke kreeg niet de kans iets te zeggen. Ze kreeg nog niet eens de kans antwoord te geven op de vragen die Karin stelde. Het was duidelijk dat ze bang was voor een eventuele stilte, ze leek gestrest, opgejaagd. Ze was in elk geval zichzelf niet. 'Karin, luister toch eens naar mij,' riep Marijke uit.

'Even de kopjes uit de kamer ophalen.' En weg was Karin.

Marijke volgde haar en liet zich moedeloos op de stoel zakken.

Tegelijkertijd kwam Steven de kamer weer binnen. Hij glimlachte. 'Ze slapen,' zei hij, 'maar ik moest wel beloven dat je de volgende keer wat eerder komt, zodat ze nog even met je kunnen spelen.'

'Waar ga je eigenlijk naartoe?' vroeg Karin terwijl ze koffie en stroopwafels neerzette. Ze keek haar moeder aan, maar Marijke wist even echt niet waar haar vraag op sloeg.

'Met Edith op vakantie,' verduidelijkte Karin.

'O, bedoel je dat? Weet je, Karin, als jij niet naar mij wilt luisteren, denk ik dat ik het jou maar niet vertel. Je ziet het vanzelf wel op de vakantiekaart. Nou, kan ik een datum noteren voor jullie weekendje Terschelling?' Ze haalde demonstratief haar agenda uit haar handtas en keek van Steven naar Karin. In stilte hoopte ze één ding, dat ze niet precies in haar vakantie een weekend zouden noemen, want dat was natuurlijk koren op de molen van Karin, al kon ze maar niet begrijpen waarom Karin er zo op tegen kon zijn een weekend met haar man weg te gaan.

'Zo snel mogelijk,' zei Steven. 'Maar ook weer niet te snel. Vrijdag 30 oktober, komt dat uit?'

'Afgesproken,' zei Marijke. 'Hoe laat zal ik ze halen? En minstens twee nachten, hoor!'

'De tijden laten we nog weten,' zei Steven.

Karin zei helemaal niets meer, zat haar stroopwafel te verbrokkelen en nam af en toe een miniem slokje koffie. Marijke voelde medelijden met haar. Ze zag er opeens zo afgetobd en vermoeid uit. Ze kreeg haast spijt dat ze onaardig tegen haar geweest was. Had ze niet zelf tegen Stevens moeder gezegd dat Karin het erg druk had met haar twee kinderen én haar baan op het advocatenkantoor. Hoe kon zij dan op haar mopperen? 'Als ik soms nog iets anders voor je kan doen, Karin? Misschien zo af en toe helpen met je huis?'

'Hoezo?' Van de ietwat ineengedoken en terneergeslagen vrouw was niets meer over. Fel ging ze rechtop zitten en keek ze haar moeder aan. 'Vind je het hier niet schoon genoeg?'

'Karin, dat bedoel ik niet. Ik dacht alleen dat je het misschien wat te druk had en ik heb soms tijd over.'

'Ik heb jou niet nodig, ik red me prima zelf.'

Marijke stond op. Ze had haar buik vol van dit gesprek. Wat ze ook zei, het was niet goed. 'Ik verheug me erop dat Jolien en Sterre komen. Het lijkt me heerlijk. Tot dan!'

Voor ze nog iets konden zeggen, haastte ze zich de kamer uit, greep haar jas en rende bijna naar buiten, waar ze in haar auto ging zitten en wegreed. Ze zag nog net dat Steven voor het raam stond en zijn hand naar haar opstak. Ze zwaaide terug, maar of hij het gezien had betwijfelde ze, zo snel als ze ervandoor ging. Even buiten de drukke stad nam ze een afslag binnendoor en bij de eerst mogelijke gelegenheid parkeerde ze langs de kant van de weg. Wat was er toch met Karin? Waar was het fout gegaan? Had zij, Marijke, iets fout gedaan? Had ze, zonder dat ze het wist, Tim en Karin toch verschillend opgevoed? Had ze te veel van Karin geëist? Ze was juist altijd zo trots op haar geweest. Ze kon er niet uitkomen, en bleef ietwat wezenloos voor zich uit staren naar de Groningse verte.

Ondertussen vroeg Steven zich precies hetzelfde af. Hij stelde de vraag echter hardop. Maar Karin reageerde verbolgen en liep ook naar de gang. 'Ik mag toch weleens uit mijn humeur zijn,' bromde ze. 'Ik ga even wandelen.' Dat ze weg was, was duidelijk, toen de voordeur met een knal in het slot vloog.

HOOFDSTUK 7

Als mevrouw Tuinstra sterker of jonger was geweest, was het glas misschien wel uit haar voordeur gevallen, zo wild trok ze die open, nadat ze Marijke voor haar huis had zien parkeren. 'U móét even blijven, zuster,' siste ze in Marijkes oor, zodra die binnenkwam. 'Ik moet u echt iets vertellen.'

Marijke lachte en vermoedde wel waar dit op sloeg. 'Het gaat zeker over de buurvrouw?'

'Inderdaad.' Mevrouw Tuinstra nam plaats op haar gebruikelijke stoel en begon ijverig de mouw van haar blouse op te rollen. 'Het is onvoorstelbaar wat daar allemaal gebeurt. Ik kan het zelf niet volgen. Maanden, misschien wel een jaar heb ik me zorgen gemaakt en ben ik bang geweest om er iets van te zeggen en nu?' Ze keek Marijke triomfantelijk aan. 'Oké, het had ook heel anders kunnen uitpakken. Ze had woest kunnen worden of haar man op me af kunnen sturen, maar dat is allemaal niet gebeurd.'

'Wat dan?' vroeg Marijke belangstellend, terwijl ze de naald in de ader stak.

'Ik heb, met medeweten van Annet, naar maatschappelijk werk gebeld.'

'Annet?'

'Ja, zo heet de buurvrouw. Ze durfde zelf niet te bellen, omdat ze bang was dat haar man haar dat kwalijk zou nemen. Die mevrouw is hier geweest, eergisteren. Annet was hier ook. Ze wist dat er een maatschappelijk werkster zou komen en ze was reuze zenuwachtig, maar ze kwam toch. Samen met Tobias. Dat is trouwens best een leuk joch. Hij heeft hier ook al een keertje gespeeld zonder dat zijn moeder erbij was. Dat had ik zelf voorgesteld en ze vond het een verademing eens boodschappen te doen zonder dat gezeur van hem erbij. Dat zei ze, hoor. Dat zijn haar woorden. Maar goed, we zaten hier dus met ons drieën en Annet zei niets. Dus begon ik maar te vertellen, wat ik zelf gezien had, hoe ze hem beetgreep en soms sloeg en hoe ik haar op de koffie gevraagd had.

Plotseling nam Annet het verhaal van me over en ging zelf vertellen. Dat haar man haar en Tobias elke dag sloeg, dat ze dat niet leuk vond, maar het toch normaal vond. Haar ouders hadden dat immers ook gedaan. Ze zag best dat Tobias bang was voor zijn ouders, maar dat was ze zelf ook voor haar ouders geweest, dus zo raar vond ze dat niet. Die mevrouw van maatschappelijk werk was heel rustig en ze had alle tijd. Ze luisterde geduldig en stelde af en toe een gerichte vraag. Maar toen ze vroeg of ze dacht dat Annets man ook eens met haar wilde praten, schrok ze. Ze was er zeker van dat hij dat niet wilde.'

Marijke luisterde, terwijl ze het buisje met bloed en de andere spullen opruimde.

'Die maatschappelijk werkster vroeg waarom hij dat niet zou willen. Daar wist Annet eerst geen antwoord op, maar uiteindelijk moest ze toch wel toegeven dat ze dacht dat haar man heus wel wist dat je niet hoorde te slaan. Net zoals ze dat zelf eigenlijk ook diep van binnen wel wist. Ze wist alleen niet wat ze anders moest doen, als Tobias niet gehoorzaamde. Ze had bijvoorbeeld nooit leren praten met haar kind. Die vrouw vroeg ook waarom Annets man haar sloeg, wat de reden ervoor was dat hij boos was. Voor het antwoord schaam ik me zelfs,' verzuchtte mevrouw Tuinstra. 'Ze vertelde dat hij voor de onnozelste dingen sloeg. Als de tafel nog niet gedekt was als hij thuiskwam, of als ze zijn schoenen niet afgeborsteld had, of als ze de verkeerde kleren aanhad – in zijn ogen dan – of, tja, gewoon domme dingen, waar je niet voor hoeft te slaan. Ze protesteerde nooit, omdat ze immers niet anders gewend was. Nu hebben we afgesproken dat Annet en Tobias twee keer in de week naar een soort school gaan. Dat is het natuurlijk niet, maar ze krijgt er wel les in omgang met Tobias. En hij krijgt les in gehoorzaam zijn. Opvoedkunde, heet dat. En een keer in de week komt hij een poosje hier, zodat ze zelf even op adem kan komen.'

'Maar is dat niet te druk voor u?' vroeg Marijke bezorgd.

'Welnee. Ik zei toch dat het best een aardig joch is. Weet u wat hij gedaan heeft? Mijn radiator gepoetst. Prachtig toch. Daar komt thuiszorg niet aan toe en ik zag best dat er steeds meer stof tussen de spijlen, of hoe die dingen ook maar heten, kwam te zitten.' Ze wees met haar hoofd naar een ouderwetse radiator en Marijke begreep wat ze bedoelde.

'Hij vroeg of hij me mocht helpen met schoonmaken en toen heb ik hem een klein emmertje met sop gegeven. Maar ik heb erbij gezegd dat ik niet op mijn knieën kon om alles op te drogen wat hij nat gemaakt had en dat begreep hij. Hij heeft daarna zowat de hele keukenvloer gedweild. Ik was natuurlijk reuze trots op hem en hij glunderde en vroeg of hij nog een keer mocht komen poetsen. Ik heb hem een lekker stuk chocola gegeven als beloning en toen Annet hem kwam halen, heb ik hem natuurlijk uitgebreid geroemd waar hij bij was. Nee, dat gaat best. Hij was echt lief en tja, als het niet meer gaat, zeg ik dat wel. Maar ik denk dat hij ook wel blij was even bij zijn moeder weg te zijn.'

'Dat laatste denk ik inderdaad ook,' gaf Marijke toe. 'Als je altijd op je tenen moet lopen en bang bent, is het een opluchting om even ergens anders te zijn.'

'Precies.'

'Maar wat nu met Annets man? Als die nergens vanaf weet, blijft hij gewoon slaan natuurlijk. En niet alleen kindermishandeling is verboden, ook vrouwenmishandeling.'

'Klopt. Dat is nog een probleem, maar Annet vond dat ze eerst voldoende moed moest verzamelen, en die maatschappelijk werkster leek het ook beter dat Annet eerst aan de situatie van haar en Tobias ging werken, voordat ze ook nog aan haar man begon.'

'Hm, dat weet ik niet,' zei Marijke aarzelend. 'Als zij stopt met slaan en leert anders met Tobias om te gaan en haar man weet nergens van, kan het vreemd op hem overkomen.'

'Tja, dat weet ik ook niet,' zei mevrouw Tuinstra. 'Ik ga er maar van uit dat maatschappelijk werk weet wat ze doen. Zij hebben ervoor geleerd, ik niet.'

'Hoe dan ook,' vond Marijke,' het is te gek dat het zo loopt. Ik

heb grote bewondering voor u, hoe u dit aangepakt hebt, en het is voor Tobias alleen maar heerlijk dat zijn moeder wil veranderen.'
'Dat dacht ik,' zei mevrouw Tuinstra stralend. 'Wilt u nog een kop koffie? Zonder melk?'
Marijke schoot in de lach. 'Nee, heel aardig, maar ik heb het echt erg druk. Sinds vorige week heb ik vier nieuwe adressen. Die zijn maar tijdelijk, maar vandaag moeten ze wel bezocht worden. Sorry dus, maar ik ga er weer vandoor. Sterkte met de buren.'
Mevrouw Tuinstra kwam overeind.
'Blijf toch zitten,' zei Marijke. 'Ik vind de deur alleen wel.'
'Nee, nee, wacht even. Ik wilde nog wat vragen.'
'O?'
'Ja, hoe gaat het nu met uw dochter? Hebt u al met haar gepraat?'
Marijke voelde dat ze kleurde. 'Nee,' zei ze zachtjes. 'Ik heb nog steeds de geschikte gelegenheid niet gevonden. We zijn eigenlijk nooit alleen. Of mijn man is erbij of de hare.'
'Maar je moet er niet zo lang mee blijven lopen als ik met de buurvrouw gedaan heb, hoor.'
'Mevrouw Tuinstra, u hebt gelijk.'
Toen ze wegreed, stond de oude dame voor het raam te zwaaien en Marijke zwaaide, net als elke week, terug.
Daarna haastte ze zich naar de volgende patiënt. Een best nog jonge man in verhouding tot haar andere patiënten. Toch had hij onlangs een nieuwe heup gekregen en mocht nu nog niet zelfstandig naar de prikpost. Zijn vrouw deed open. 'Ha, ben je daar weer?' riep ze vrolijk uit. 'Volgens mij kan hij best zelf al naar jullie toe komen. Hij heeft alweer praatjes voor tien!'
'Misschien kan hij wel, maar hij mag nog niet. Hij moet zich aan de instructies van de arts houden wil hij lang plezier hebben van zijn nieuwe heup.'
'Dat weet ik best,' zei ze. 'Ik probeerde hem alleen maar op stang te jagen. Dat doet hij mij ook de hele dag. Het is wel wennen, hoor, je man de hele tijd thuis, en dan moet ik nog steeds voor hem vliegen ook. De krant kan hij nog niet oprapen van de mat.'

'Maar je werkt toch buitenshuis?' vroeg Marijke.

'Ja, gedeeltelijk. Wil je koffie?'

'Nee, dank je, ik heb het vandaag echt erg druk.' Marijke begroette de man, die televisie zat te kijken, en vroeg hem zijn mouw op te rollen.

Een paar minuten later stond ze alweer buiten. Even haalde ze diep adem. Het was duidelijk herfst, maar de zon scheen heerlijk en ze had die dag nog niet van de frisse lucht genoten. Glimlachend stapte ze in, keek nog even naar de woning, maar er stond niemand voor het raam om te zwaaien. Op naar de volgende patiënt, dacht ze blij.

's Avonds vertelde ze Johan wat mevrouw Tuinstra haar verteld had.

'Petje af voor die oude dame,' zei Johan spontaan. 'Echt geweldig dat ze dat kind ook nog bij haar laat spelen. Aanmerkingen maken is een ding, maar ook nog echt persoonlijk helpen, ga er maar aanstaan.'

'Vooral als je zelf amper kunt bewegen. Ik heb ook bewondering voor haar,' zei Marijke. Toch kon ze het niet laten de vergelijking te maken met haarzelf en Karin. Ze had geprobeerd erover te praten, maar het lukte niet. Ze was moeilijker te bereiken dan Annet, de buurvrouw van mevrouw Tuinstra, die blijkbaar zelf wel wist dat ze verkeerd bezig was, maar alleen niet in staat was daar verandering in aan te brengen. Karin wilde het nergens over hebben, stond niet open voor een gesprek. Gelukkig ging ze aanstaand weekend weg met Steven. Marijke hoopte van harte dat dat een fijn weekend zou worden, dat Karin er weer een beetje door tot zichzelf kwam of dat het Steven zou lukken haar aan het praten te krijgen. Het zou misschien zwaar worden, want Marijke wist dat Karin koppig kon zijn, maar volgens haar kon het niet anders dan dat Karin in moest zien dat ze veranderd was en zich niet eerlijk gedroeg tegenover de kinderen en ook tegenover Steven en zelfs Marijke niet.

Tegelijkertijd verheugde Marijke er zich ontzettend op dat ze Jolien en Sterre bijna drie hele dagen bij zich zou hebben. Ze had al allerlei plannetjes bedacht om met de kinderen te doen. Maar ook Johan had een plan bedacht en dat leek Marijke nog niet eens zo gek.

En dus stapten ze zaterdagmorgen in alle vroegte in Marijkes auto. Jolien en Sterre zaten achterin, keurig in de autostoeltjes die Steven achter in haar auto gezet had, toen ze de kinderen vrijdagmorgen kwam halen.

'Wat gaan we doen?' riep Jolien toen ze vertokken.

'Dat weet je allang,' zei Marijke vrolijk. 'Je hebt heus wel gehoord wat opa zei.'

'Maar waar is de bal?' vroeg Jolien.

'Ach, nu begrijp ik het pas,' zei Marijke hoofdschuddend tegen Johan. 'Ze heeft niets van ons verhaal begrepen.' Ze draaide zich om en keek de meisjes aan. 'Wíj gaan niet met de bal spelen. Jorm moet voetballen en wij gaan kijken.'

Joliens gezicht betrok.

'Maar als ze klaar zijn,' zei Johan, 'dan kunnen wij ook wel even met de bal spelen, hoor.'

'Ja?' Jolien glunderde en Sterre klapte in haar handjes.

'Wat zal Jorm trouwens opkijken als hij ons langs de lijn ziet staan,' zei Johan.

Marijke knikte. 'Lucy zei dat ze het hem niet zou vertellen, dus het moet wel een leuke verrassing zijn.'

'Hier heb ik me nu al jaren op verheugd,' zei Johan. 'Langs de lijn bij mijn kleinzoon.'

'Dan is het wel jammer dat hij zo ver weg woont.'

'Ach, wat is een uur? Maar voor elke week is het wel te ver, dat ben ik met je eens.'

Ze zwegen een poosje. Marijke luisterde naar de meisjes achterin, die druk in gesprek waren met elkaar. Ze kon niet veel van hun gebrabbel volgen, maar blijkbaar hadden ze daar zelf totaal geen moeite mee. Wat was het heerlijk die twee meiden bij zich te hebben en ze te vertroetelen en te verwennen. Zoals gisteravond... Marijke werd weer blij toen ze eraan terugdacht. Ze mochten samen in bad en Marijke had voor veel schuim gezorgd. Natuurlijk liet ze ze geen seconde uit het oog. In een glibberige omgeving zat een ongeluk in elk klein hoekje. Maar wat hadden ze genoten. Opa had zelfs plastic bekertjes met drinken gebracht. Dat hadden ze nog nooit meegemaakt. Dat ze drinken mochten in bad. En dat ze niet hoefden op te schieten, maar met de eendjes mochten spelen. Dat was trouwens wel even vervelend geweest. Jolien wilde namelijk na vijf minuten alweer uit bad. Ze leek bang dat oma boos zou worden als ze er te lang in bleef. Het had Marijke dan ook moeite gekost het kind duidelijk te maken dat ze net zo lang mocht blijven zitten spelen als ze zelf wilde. Marijke begreep best dat het niet helemaal eerlijk was. Karin en Steven hadden allebei een drukke baan en waren op vrijdagavond aan het eind van hun Latijn. Marijke had zich dagenlang op dit bezoek verheugd en had dus gezorgd dat ze niets anders hoefde te doen dan zich met de kinderen bezig te houden. Maar het gaf haar een goed gevoel de meisjes eens te verwennen. Het gaf niets dat dat thuis niet altijd kon. Bij oma was nu eenmaal altijd alles anders dan bij mamma en Marijke vond het heerlijk ze zo te zien genieten.

'Zijn we er al?' onderbrak Jolien haar gedachten.

'Nee, het duurt nog even voor we in Zwolle zijn. Heb je zin in iets lekkers?' Marijke haalde een plastic bakje uit haar tas, waar ze fruit in had en rozijntjes en een paar gezonde koekjes. Ze reikte het naar achteren en ergerde zich aan de gordel, die haar tegenhield zich ver genoeg om te draaien. Maar losmaken kon ook niet, ze moest wel het goede voorbeeld geven. Ze verschoof wat, zodat ze beter achterom kon kijken. 'Zit er iets tussen wat je lust?' Jolien pakte een mandarijntje, dat al afgepeld was, Sterre koos voor een koekje.

'Ivo is ook op het voetbalveld,' vertelde Marijke. 'En tante Lucy en oom Tim. Het wordt vast erg gezellig.'

'En ze verkopen er drinken,' zei opa. 'Ik denk dat ze wel yoghurtdrank hebben.'

'Zullen we doen wie het eerste een rode auto ziet?' stelde Marijke voor.

'Op, op!' riep Sterre en ze begon spontaan te huilen.

'Wat is er, meisje?' Marijke keek geschrokken om.

'Koek op.'

Jolien had gezien wat er gebeurd was en, zo klein als ze was, probeerde ze haar zusje te helpen. Marijke begreep niet wat er aan de hand was. 'Hé, Jolien, blijf zitten.'

'Sterres koek is gevallen.'

'Laat maar liggen, Jolien, die vinden we straks wel. Ik zal Sterre een nieuwe geven.'

Sterre was meteen weer stil en hapte opgetogen in de nieuwe koek.

'Daar, die is rood,' riep Jolien toen Johan een auto inhaalde.

Marijke knikte glimlachend. Het meisje had dus toch gehoord wat ze gezegd had. Ze was best slim, die kleindochter van haar.

'Zie je wel dat het prachtige meisjes zijn,' zei Johan zacht. 'Je maakt je zorgen om niets.'

'Bij ons, ja. Bij ons voelen ze zich op hun gemak.'

'Als ze thuis zo slecht behandeld worden als jij denkt, zouden ze bij ons ook niet zo spontaan en vrij zijn.'

'Hm,' zei Marijke peinzend en zweeg verder.

Precies na een uur parkeerde Johan de auto op het parkeerterrein bij het voetbalveld. Er stonden veel auto's en ook langs de lijn bleek het behoorlijk druk te zijn. Bekende gezichten zagen ze echter niet.

'Waar spelen de F'jes?' vroeg Johan aan een toeschouwer.

'Daarginds, op het oefenveld,' was het antwoord.

'Kom op, meiden,' zei Johan opgewekt. 'Heb ik er jaren van gedroomd naar mijn kleinzoon te gaan kijken, doe ik dat met drie vrouwen die volgens mij geen van drieën van voetbal houden.'

'Tante Lucy!' riep Jolien opeens en rende voor hen uit.

'Jolien! Wat leuk dat jullie er zijn.'

De begroeting die volgde was enthousiast en ook de vijfjarige Ivo, die niets wist van dit bezoek, was zichtbaar blij bij het zien van zijn twee kleine nichtjes.

'Hoeveel staat het?' vroeg Johan, die met zijn ogen over het voetbalveld gleed om Jorm te zoeken.

'Drie-nul al,' zei Tim trots, want het bleek dat Jorm een van de doelpunten had gescoord.

'O, daar is hij,' zei Johan opgelucht toen hij de kleine jongen eindelijk ontdekt had. 'In die kleren zien ze er allemaal hetzelfde uit. Kijk, hij heeft de bal. Doorzetten, jongen, vasthouden!' riep Johan over het veld. 'Schop hem erin, Jorm!'

Jorm hoorde de aanmoedigingen en bleef verbaasd stilstaan. Hij keek om en zag zijn grootvader. Met bal en al rende hij op hem af. 'Opa, wat leuk dat u er bent!'

'Jorm, jongen, je moet voetballen,' grinnikte Johan en wees op de scheidsrechter die floot omdat Jorm weggelopen was.

Tim en Johan lachten uitbundig om de reactie van Jorm. Ivo nam de meisjes mee naar de kantine en Lucy en Marijke waren al snel in gesprek over de voorgenomen vakantie van Marijke samen met Edith en over de uitnodiging van opa en oma ter ere van het feit dat ze elkaar zestig jaar kenden.

Op Terschelling ging het er echter minder spontaan aan toe.

'Zullen we een strandwandeling gaan maken?' vroeg Steven.

Karin schudde haar hoofd. 'Het waait veel te hard.'

'Maar dat is juist lekker. Heerlijk de muizenissen uit je hoofd laten waaien.'

'Nee, hoor,' vond Karin. 'Ik kruip op de bank met een boek. Daar heb ik thuis nooit tijd meer voor. Dat kan nu.'

Steven knikte. Dat was natuurlijk waar. Als ze na een lange dag van werken eindelijk de kinderen in bed hadden, moest er vaak nog iets in huis gedaan worden. Tegen de tijd dat ze eindelijk konden gaan zitten, was het vaak al bijna bedtijd en waren ze te moe om nog iets te lezen. Zelf had hij een boek naast zijn bed liggen, waar hij vroeger altijd een hoofdstuk uit las voor hij ging slapen, maar ook dat gebeurde de laatste tijd nog maar zelden. 'Prima,' zei hij dus, 'maar ik heb wel zin om even naar buiten te gaan. Ik hou van het strand en de zee.'

Toch had hij binnen vijf minuten al spijt dat hij er alleen op uit was getrokken. Dit zou immers een weekend voor hen samen zijn. Al snel keerde hij op zijn schreden terug en kwam hij het huisje weer binnen dat ze voor het weekend gehuurd hadden. 'Je hebt gelijk, thuis komt er van lezen niets. Ik heb ook wel zin in een boek. Mag ik naast je komen zitten?'

'Als je je mond maar houdt, want anders komt er van lezen nog niets,' was Karins reactie.

Hij haalde een boek op uit de koffer en ging naast haar zitten, maar het lukte hem niet zich te concentreren. Hij bekeek haar terwijl zij ogenschijnlijk wel intensief aan het lezen was. Haar gezicht drukte rust uit, de gejaagdheid van de afgelopen weken, maanden zelfs, leek weg. Hij voelde dat hij van haar hield. Zoals ze er nu bij zat, was ze de vrouw op wie hij ooit verliefd geworden was. De zachte trekken op haar gelaat, de ontspannen houding die haar lichaam uitstraalde.

'Is er iets?' Karin voelde blijkbaar dat hij haar zat te bekijken en keek op.

Hij schrok van de blik in haar ogen, die totaal niet paste bij wat ze net had uitgestraald. Hij probeerde te glimlachen, maar merkte dat het moeizaam ging. 'Ja, ik dacht net: wat hou ik toch van je. Je zat daar zo stil te genieten van je boek. Ik vond je mooi.'

'Vond?'

'Zoals je nu kijkt, vind ik je stukken minder mooi. Je ogen staan gewoon boos, en waarom? Je vraagt of er iets is, maar die vraag stel ik jou al weken en ik krijg nooit een eerlijk antwoord.'

'O, gaan we weer op die toer. Ik dacht dat je nu wel tevreden was na onze vrijpartij van de afgelopen nacht.'

'Karin!' riep hij uit. 'Waar slaat dat op? Oké, het was heerlijk en het was vooral zo fijn omdat we er alle tijd voor konden nemen zonder dat we gestoord zouden worden, maar daar gaat het toch niet om. Het gaat om…'

'Ik wil lezen.'

'Ik weet het, maar ik wil leven. Leven met jou, gelukkig zijn met jou.'

'Dat kan toch? We hebben minstens twee keer per week seks, je hebt elke dag eten en ik strijk zelfs je overhemden.'

'Karin, begrijp het dan. Daar gaat het allemaal niet om. Je bent veranderd. Je bent kortaf, je snauwt, je bent veel te streng voor de kinderen, je…'

'Hier heb ik geen zin in, hoor. Alles is prima. Dat moet jij toch ook inzien. Ze hebben elke dag schone kleren, ze zijn nog nooit te laat geweest bij het oppasadres of de speelzaal, ze krijgen gezond eten en voldoende fruit. Ze hebben een heleboel speelgoed en een prachtige kamer. Zelf hebben we trouwens pas die dure televisie kunnen kopen. Ik begrijp niet waarom je zo moeilijk doet. Alles is prima.'

'Alles is níét prima!' riep Steven uit. 'Je snauwt, en vaak zonder reden.'

'Kan ik het helpen dat het zo druk is op mijn werk?' Ze kwam overeind, gooide haar boek op de salontafel en wilde de kamer uitlopen. Steven kwam ook overeind en greep haar beet. 'Loop toch niet altijd weg als ik met je wil praten.'

'Maar er valt niets te praten. Ik heb het gewoon wat druk, dat is alles, en nu wil ik die strandwandeling toch wel maken, maar graag in mijn eentje.' Ze rukte zich los en haastte zich de kamer uit.

Steven liet zich moedeloos weer op de bank zakken en al bleef Karin ruim een uur weg, van lezen kwam voor hem toch niets.

HOOFDSTUK 8

Zondagavond brachten Johan en Marijke de kinderen weer terug naar Karin en Steven. Jolien en Sterre waren druk omdat ze vol waren van alle dingen die ze meegemaakt hadden en alles aan hun ouders wilden vertellen. Ondanks dat ze genoten hadden van de dagen bij hun grootouders, kon Marijke zien dat ze hun ouders gemist hadden. Dat deed haar goed. Toch zochten haar ogen bezorgd contact met die van Steven. Was hún weekend goed geweest? Maar Steven haalde zijn schouders op, toen hij haar blik ontmoette.

Karin leek zich echter beter te voelen dan voor het weekend. Ze liet de kinderen praten en maande hen niet eens tot stilte. Ze schonk zelfs drinken voor hen in en wilde koffiezetten voor Johan en Marijke.

'Maar we blijven helemaal niet,' zei Marijke. 'We willen jullie samenzijn niet storen. Je hebt ze drie dagen niet gezien, dus jullie hebben nog wat in te halen. We gaan meteen weer weg.'

'Ivo,' riep Sterre.

'Jorm had de bal in het doel geschopt,' voegde Jolien toe.

'Zie je,' grijnsde Johan. 'Ze hebben heel wat te vertellen.'

'Zijn jullie dan in Zwolle geweest?' vroeg Karin verrast. 'Ze vinden het nooit leuk in de auto.'

'Daar hebben we niets van gemerkt,' zei Marijke. 'Alles is geweldig verlopen. Ze hebben zich voorbeeldig gedragen. Dus wat mij betreft doen we het nog eens over. Hebben jullie het ook naar de zin gehad?' Dat laatste had ze niet willen vragen, bang als ze was dat Karin weer terug zou vallen in haar norse gedrag.

'Je had gelijk, mamma, het was echt goed om eens even zonder kinderen weg te zijn,' zei Karin tot Marijkes grote verrassing. 'Heerlijk ontspannen. Ik heb twee boeken uitgelezen, die ik al een jaar had liggen. Dus wat mij betreft is het ook voor herhaling vatbaar.'

Marijke keek haar opgetogen aan. Dit antwoord had ze niet

verwacht na het schouderophalen van Steven, maar ze was er natuurlijk erg blij mee. 'Oké, afgesproken, doen we! Ik verheug me er nu al op.'

'Wanneer ga je trouwens weg met Edith?'

'Over negen dagen al. Goed dat je me eraan herinnert, want als we terugkomen is Sinterklaas al in het land, denk ik. Daar wilde ik het nog over hebben.'

'Sinteklaas, Sinteklaas,' gilde Jolien, die blijkbaar nog wist wie hij was.

Karin wierp haar moeder een boze blik toe en Marijke knikte. 'Sorry, dit was inderdaad stom van me. Jolien, stil, meisje. Sinterklaas komt helemaal niet.'

'Sinteklaas is lief,' zei ze.

'Dat is waar, maar vertel jij nou maar aan pappa wat we allemaal gedaan hebben bij Jorm en Ivo.'

Het werkte en Marijke zuchtte opgelucht. 'Nou? Wat doen we dit jaar?'

'Hetzelfde als altijd toch?' Karin keek haar bevreemd aan.

'Graag!' zei Marijke, die door de afgelopen weken hier niet echt meer op gerekend had. Af en toe had ze namelijk het gevoel dat Karin zich terugtrok en liefst niet meer met haar of de familie omging. Ze was afstandelijker geworden en Marijke was bang dat er een dag zou komen waarop ze familiefeesten niet meer met haar ouders en broer wilde vieren. Zover was het duidelijk nog niet. 'Daar ben ik erg blij om. Dan moeten we maar weer lootjes trekken. Ik zal zien dat ik dat voor ik op vakantie ga nog geregeld krijg, want anders wordt het allemaal wel erg kort dag om alles in te kopen en leuk in te pakken. Nou, dan gaan wij weer, kunnen jullie nog even knuffelen met de kinderen. Johan?'

'Ja, ja, ik kom, maar ik moest toch even zien hoe de televisie erbij hangt. Vind je niet dat Steven en zijn vader dat keurig gedaan hebben?'

Marijke glimlachte en boog zich naar de twee meisjes, die begrepen dat oma wegging en nu ieder een been van haar beetpakten.

'Oma, bijf,' zei Sterre.

'Nee, oma gaat naar huis, maar een andere keer kom ik weer. Dag lieverd.' Ze kuste Sterre en haalde even haar hand door haar haren 'Dag Jolien.' Ook zij kreeg een kus en een aai. 'Tot gauw, hoor.'

Daarna keek ze naar haar dochter, die haar de laatste maanden amper nog begroet had of afscheid van haar genomen had. Ze aarzelde, maar deed toen toch een stap in haar richting.

'Ik laat jullie wel even uit,' zei Karin en ging hen voor naar de gang, waar ze de voordeur opende. 'Mam, bedankt voor alles en tot ziens,' zei Karin. Ze boog zich naar haar moeder toe en gaf haar een kus op de wang. Marijke was volkomen overrompeld door dit gebaar, maar wist dat ze dat niet mocht laten zien, want dat kon verkeerd uitvallen. 'Joh, jij wordt bedankt, want misschien heb ik nog wel meer genoten van het weekend dan jij. Ik bedoel, het was echt heerlijk om de meisjes eens zo lang bij me te hebben. Dag!' Snel drukte zij ook een kus op Karins wang, om meteen daarna naar buiten te lopen.

Johan kwam achter haar aan. Marijke hoorde hoe Karin ook haar vader kuste en ze voelde zich verward, maar probeerde dat niet te laten blijken. Zodra ze hoorde dat Johan de auto van het slot deed met de afstandsbediening, stapte ze in en ging op de passagiersstoel zitten. Johan wilde aan de bestuurderskant gaan zitten, maar riep. 'Wat stom, zeg!'

'Wat?' Marijke keek hem vragend aan.

'De stoeltjes zitten nog achterin.'

'Oef, wat een geluk dat je dat zag.'

'Is er wat?' Karin, die de voordeur al had willen sluiten, merkte dat haar vader niet instapte, maar het achterportier opendeed.

'Ja, de stoeltjes zitten nog op de achterbank.'

Karin schoot in de lach. 'Dat zou leuk geworden zijn morgenochtend. Fijn dat je er op tijd achter kwam.' Ze liep om de auto heen en opende het andere achterportier om aan die kant het stoeltje los te maken. Marijke bekeek haar. Ze zag er echt ontspannen uit. Ze leek weer gewoon de Karin van eerst.

'Nou, nogmaals bedankt en tot ziens,' zei Karin, die met twee stoeltjes wegliep en de garage in verdween. Ze zwaaide haar ouders niet na en ergens gaf dat Marijke het gevoel dat ze zich beter voordeed dan ze zich voelde.

'Ze is er echt van opgeknapt, hè?' was het eerste wat Johan zei toen ze de straat uitreden. 'Het weekend heeft haar goed gedaan.'

'Dus nu geef je zelf toe dat ze voor het weekend anders dan normaal was,' zei Marijke.

'Eh?' Johan keek haar even aan, maar richtte toen zijn blik weer op de weg. 'Tja…'

Marijke zei niets, wachtte af.

'Je hebt wel gelijk dat ze wat kortaf was de laatste tijd,' moest Johan erkennen. 'Maar vanavond was daar niets meer van te merken, toch?'

'Eerst zei je dat er niets aan de hand was. Nu vind je toch dat ze kortaf was.'

'Ja, dat kan toch gebeuren? Ze heeft een druk leven. Maar jij vond dat ze de kinderen slecht behandelde en dat vond ik niet en dáár mocht je je niet mee bemoeien. Of heb je er inmiddels toch wat van gezegd?'

'Nee, ik heb alleen aangeboden een weekend voor Jolien en Sterre te zorgen en ik heb Steven geholpen om Karin zover te krijgen dat ze echt wegging.'

'Dat heb je dan netjes gedaan. Karin zag er gewoon lekker ontspannen uit en het lijkt me dat daarmee alles goed is afgelopen. Prima dus dat je er niets van gezegd hebt, want er was ook niets aan de hand.'

Marijke zweeg. Ze begreep niet goed waarom Johan er zo anders over dacht dan zij, maar het schoot haar te binnen dat haar ouders ook tegengesteld gereageerd hadden. Haar moeder vond meteen dat ze er wat van moest zeggen en haar vader juist van niet. Ook schoot haar te binnen hoe Steven zijn schouders had opgehaald toen ze zijn blik zocht om te vragen hoe het weekend geweest was. Hij had niet geglimlacht, hij had niet enthousiast gekeken. Nee, hij was niet zo ontspannen teruggekomen als Karin leek. En dat baarde haar opnieuw zorgen. Ze zou die alleen niet met Johan delen, want hij zou haar wel voor gek verklaren.

'Wat ben je stil?'

'Ik zat in gedachten mijn koffer vast in te pakken voor de Canarische Eilanden,' loog ze.

'Nou, daar hoeft niet veel in, lijkt me.' Johan grinnikte. 'Alleen een badpak en zonnebrandolie.'

'Zou het zo warm zijn?'

'Volgens mij wel. Kijk maar eens naar de weersverwachting op het journaal. Helemaal onder aan de kaart staat altijd een lekker warm cijfer.'

'Ik hoop het,' zei ze slechts.

'Er is wat.'

Marijke moest ondanks alles glimlachen. Johan kende haar, voelde gewoon dat er wat moest zijn als ze zo stil was.

'Er is niks. Ik zat alleen maar te denken dat het echt vreemd zal zijn om zonder jou op vakantie te gaan.'

En dat was ook zo. Ze vergiste zich zelfs af en toe en zei Johan tegen Edith. Zoals net. Ze lagen samen op het strand te zonnen na een verkwikkend bad in zee. Ze zakte bijna weg in slaap door de warme zon, maar opeens schoot haar iets te binnen. 'Johan, je weet toch wel dat jij zelf iets moet kopen voor degene die je voor sinterklaas getrokken hebt?'

Edith moest zo schateren, dat Marijke verbaasd haar ogen opende.

'O, meid, sorry. Wat stom.'

'En dat niet alleen,' zei Edith lachend, 'het is al de zoveelste keer.'

'Het spijt me.'

'Dat is nou ook weer niet nodig, maar het roept wel een vraag bij me op.'

'Welke?'

'Mis je hem zo erg? Heb je heimwee?'

Marijke kwam overeind en schudde driftig haar hoofd. 'Helemaal niet. Ja, ik mis hem wel een beetje, maar ik wil niet terug. Ik wil hier blijven. Het is hier zo heerlijk. Ik had echt niet gedacht dat het nog zo warm zou zijn en het is reuze gezellig samen met jou. Het is heel anders en daar geniet ik van.'

'Meen je dat?'

'Ja, Edith, dat meen ik. Ik heb altijd heerlijke vakanties met Johan, maar hier samen met jou is echt geweldig. Met jou heb ik heel andere gesprekken en doe ik andere dingen. Ik moet er niet aan denken om met Johan naar een schoonheidssalon te gaan.' Ze schoot hartelijk in de lach bij het idee. 'En ik heb er zo van genoten gisteren. Heerlijk vertroeteld te worden, gezichtsmassage en hoofdmassage. Zoiets had ik nog nooit van mijn leven gedaan en met Johan erbij zou het ook nooit gebeuren. Nee, Edith, maak je maar geen zorgen. Ik heb echt geen spijt dat ik hier met jou ben.'

'Nou, fijn om te horen.' Edith keek opgelucht. 'Van tevoren was ik er toch wel een beetje bang voor, omdat je immers gezegd had nog nooit zonder hem weggeweest te zijn.'

'Ik zal het maar eerlijk opbiechten,' zei Marijke. 'Ik ook. Ik verheugde me er echt op met jou te gaan, maar ik was er toch wat bang voor dat ik me niet voldoende op mijn gemak zou voelen, omdat jij het was en niet Johan. Maar dat was allemaal bezorgdheid voor niets. Alleen de eerste nacht ben ik wakker geschrokken. Ik merkte opeens dat hij niet naast me lag. Hij gaat nooit 's nachts uit bed, dus ik was echt even ongerust en ik deed het bedlampje aan. Toen moest ik eigenlijk vreselijk lachen.'

'Dat heb je helemaal niet verteld.' Edith lachte ook.

'Ik voelde me zo stom.'

'Malle meid, dat is toch niet stom. Hoe lang ga je nu met hem. Ben je ooit met een ander gegaan? Logisch toch dat je verwacht dat hij naast je ligt. Maar ik ben wel blij dat we ieder een eigen

kamer hebben, want wie weet wat jij dan 's nachts had uitge-
spookt.'
Nu proestte Marijke het uit. 'Ik was zeker handtastelijk geworden! Ik voel immers altijd of hij er ligt en of hij slaapt of wakker
is.'
'Dat vermoeden had ik al,' zei Edith grijnzend. 'En wat zou ik
dan geschrokken zijn. Opeens een hand op mijn buik of zo.'
'Vooral omdat jij altijd alleen slaapt.'
'Juist. Maar dat was natuurlijk de ware reden waarom ik alleen
wilde slapen. Ik ben het totaal niet gewend met een ander op een
kamer of in één bed te liggen. Ik heb niets tegen jou, anders zou
ik niet hier met je zijn, maar zo dichtbij, dat leek me toch niets.'
Marijke knikte. 'Weet je,' zei ze aarzelend. 'Ik durf het haast niet
te zeggen, maar…' Ze keek Edith aan, kneep haar ogen dicht
tegen de felle zon en glimlachte. 'Het klinkt zo raar, en onaardig
tegenover Johan, maar om echt heel eerlijk te zijn, vind ik het
geweldig om eens zonder hem op vakantie te zijn. Dat had ik
helemaal niet verwacht. Ik heb er ook nooit naar verlangd, maar
nu ik zo met jou ben, zie ik opeens het grote verschil. En dat is
niet die schoonheidssalon en ook niet onze gesprekken. Nee, als
ik met Johan ben, ben ik toch eigenlijk altijd degene die overal
voor zorgt. Ik regel de boodschappen en wat we eten. Zeker, we
gaan ook wel uit eten en Johan gaat altijd mee boodschappen
doen, maar ik zorg. Dat zit er gewoon in. Ik ben al zo lang zijn
vrouw, dus zelfs op vakantie zorg ik voor hem. Niet dat het me
zwaar valt of dat het nodig is. Johan redt zich nu thuis ook prima.
Ik had nog voorgesteld wat eten in de diepvries te doen, maar
daar wilde hij niets van weten. Hij kon heel goed voor zichzelf
zorgen, zei hij. En dat is ook zo. Maar toch… Als we samen zijn,
trek ik het bed recht, ik kijk of er nog genoeg drinken is, ik…' Ze
haalde haar schouders op. 'Ik zorg gewoon voor alles. Met jou is
dat zo anders. Bij hem ben ik echtgenote en bij jou ben ik vrouw,
vriendin, mens. We zijn helemaal elkaars gelijken. Zo voelt dat.
Jij besluit opeens om broodjes te gaan kopen. Jij zegt dat er geen

water meer in de koelkast staat. Ik hoef niet voor jou te zorgen en jij niet voor mij. We doen alles echt samen. En dat vind ik leuk. Dat maakt het zo anders en speciaal. Eindelijk ben ik eens gewoon Marijke. Niet de moeder, niet de echtgenote. Gewoon Marijke. Ik had niet gedacht dat ik dat zo zou ervaren, maar het is zo en het is heerlijk.'

Edith straalde. 'Wow, meid. Ik ben echt blij dat het je zo goed bevalt. Het klinkt bijna alsof we volgend jaar weer gaan.'

Marijke schoot in de lach. 'Pas maar op, ja. Misschien wen ik er wel aan. Er is trouwens nog iets anders, zo samen met jou.'

'O?'

'Ja, ik heb opeens weer belangstelling van mannen. Dat overkomt me echt nooit als ik samen ben met Johan, maar ik merk dat er weer naar me gekeken wordt en ook dat vind ik een leuke bijkomstigheid. Het geeft me een vrouwelijk gevoel. Het doet me goed.'

Edith lachte. 'Inderdaad. Zoiets heb je gewoon af en toe nodig. Een waarderende blik van een vreemde. Dat vind ik ook wel prettig. Maar het moet wel netjes blijven. Er zijn ook mannen die je van top tot teen opnemen en dan met hun ogen laten zien dat ze je wel een nacht in hun bed willen hebben. Van dat soort blikken hou ik dus niet en die krijg ik nogal eens. Dat heeft niets met liefde te maken, maar alles met seks.'

'Tja, jij bent altijd alleen, dus je trekt ook meer de aandacht. Heb je echt nooit eens gedacht om wel zo'n man mee te nemen of met hem mee te gaan?'

Edith bloosde. 'Ik heb er weleens over gefantaseerd, ja, maar gedaan niet.' Ze zuchtte diep en leek opeens verdrietig.

'Heb ik iets verkeerds gezegd?' vroeg Marijke geschrokken.

'Natuurlijk niet. Je bent mijn vriendin, dan mag je alles zeggen, maar tja… ik eh… Ergens schaam ik me er een beetje voor, al kan ik er niets aan doen, maar ik heb nog nooit gevrijd met iemand. Echt gevrijd, bedoel ik. Met Anton ben ik destijds niet zover gegaan. Ik wilde dat bewaren voor het huwelijk. En later

90

heb ik dus nooit meer een vriend gehad. Stel dat ik wel iemand voor een nacht meeneem, dan zou dat dus de eerste keer zijn en zo'n eerste keer wil ik niet.'

Marijke keek haar verward aan en schaamde zich ook. Als ze beter had nagedacht, had ze dit zelf kunnen bedenken. Toch was het nooit in haar opgekomen dat Edith… dat ze nog… Ze was 52, dan dacht je niet dat iemand nog nooit seks gehad had. Maar dat kon dus wel. 'Sorry Edith, ik bedoelde het eigenlijk een beetje als een grapje, maar ik heb nu pas door dat het niet iets is om grappig over te doen.'

Edith glimlachte wat meewarig en keek langs Marijke heen naar de zee.

Na een poosje zei Marijke: 'Zeg, zullen we zo eens teruggaan naar ons appartement? Ik begin wel trek te krijgen en we hadden nog een paar van die heerlijke broodjes.'

'Goed idee, want ik heb ook wel zin in zo'n broodje.' Edith kwam meteen overeind, klopte de handdoek uit die ze over de ligstoel gespreid had en stopte hem in haar tas.

Ze liepen naast elkaar over het smalle paadje naar hun appartement.

Tot Marijkes verbazing ging Edith steeds sneller lopen. 'Heb je zo'n honger?'

'Hoezo?'

'Je rent bijna.'

'O, sorry. Kon je me niet meer bijhouden?'

'Heus wel, maar het leek of je haast had.'

'Helemaal niet.'

Toch bleef ze er flink de pas in houden, maar pas toen ze het paadje naar hun eigen gebouw insloegen, had Marijke het door. Ze grinnikte onhoorbaar en zei niets, maar dit was eigenlijk wel erg spannend. Een paar appartementen verderop zag ze de man zijn woning binnengaan en meteen hield Edith haar pas in. Toen wist Marijke het zeker. Ze had een poging gedaan hem in te halen, maar het was niet gelukt. Wat was hier aan de hand? Edith, die al zo lang alleen was – gevallen voor een man?

'We gaan wel buiten zitten,' vond Edith.

'Dat hoef je niet eens voor te stellen,' zei Marijke, die de tafel in de schaduw van de parasol trok. Ze was gek op de zon, maar die stond alweer zo hoog en fel aan de hemel dat een beetje schaduw nu wel welkom was. Edith liep naar binnen en kwam al snel terug met boter, kaas en melk. 'Zal ik er een ei bij bakken?'

'Heerlijk,' zei Marijke. 'Als het lukt graag met een hele dooier.'

'Probeer ik.'

Marijke haalde de broodjes en het bestek op en schikte alles op het tafeltje op het terras vlak voor hun appartement. Ze vond dat ze boften met een appartement beneden, zodat het leek alsof ze een eigen tuin hadden. Boven hen hadden ze een balkon, wat ook heerlijk was, maar dit leek veel groter.

Plotseling zag ze dezelfde man zijn appartement uit komen. Hij keek zoekend om zich heen en kwam toen op haar af. 'Goedemiddag,' zei hij aarzelend. 'Ik eh… ik hoorde jullie gisteren Nederlands spreken, dus vandaar dat ik eh…'

Marijke lachte. 'Zijn hier ook nog andere toeristen dan? Volgens mij is het hele complex bezet door Nederlanders.'

'O ja?'

'Maar zeg het eens.' Ze begreep dat ze hem afschrikte door haar antwoord.

'Tja… ik heb gehoord dat je van hieruit met de bus naar de stad kunt, maar ik kan nergens een halte vinden. Hebben jullie die al ontdekt?'

Marijke glimlachte inwendig. Hij bleef 'jullie' zeggen, al was ze alleen. Op die manier hoefde hij geen jij of u te zeggen, maar hij zette haar wel voor het blok, want wat moest zij tegen hem zeggen? Hij leek van haar eigen leeftijd, alhoewel ze moest toegeven dat ze slecht was in het schatten van iemands leeftijd. 'Ik zal mijn vriendin even vragen. Ik weet dat zij er gisteren naar gezocht heeft.' Hadden ze elkaar toen misschien al gezien, vroeg Marijke zich nu af. Ze liep de kamer in, waar de geur van gebakken ei haar direct tegemoet kwam. 'Edith, er staat hier iemand die naar de bushalte vraagt. Kan jij hem even helpen? Dan let ik wel op de eieren.'

'De bushalte?'

'Jij bent gisteren toch wezen kijken?'

'Wat voor iemand? Wat bedoel je?'

'Gewoon iemand die hier ook op vakantie is. Een Nederlander.'

'Ah, gelukkig, want mijn Spaans is echt niet goed genoeg.' Edith verdween naar buiten en Marijke draaide de elektrische kookplaat onder de koekenpan lager. De eieren waren eigenlijk wel klaar, maar ze wilde die twee liever even een paar minuten alleen laten. Het zou echt te gek zijn, als Edith op haar 52e toch nog een leuke man zou vinden. Ze gunde het haar zo. Helemaal na het trieste verhaal over Anton, dat ze haar laatst verteld had. Dat je leven zo'n andere loop kon krijgen door een foute relatie. Edith had gedacht met hem te zullen gaan trouwen en vast ook kinderen krijgen. En nu was ze altijd alleen gebleven en van kinderen kon door haar leeftijd nooit meer sprake zijn.

Ze schudde wat met de pan, zodat de eieren niet vastbakten en keek op haar horloge. Hoe lang kon ze met goed fatsoen hier blijven staan? Of zou Edith niet eens doorhebben dat ze binnen bleef? Ze deed geluidloos een paar stappen in de richting van het terras. De grote schuifdeuren stonden open, maar er hingen lange gordijnen voor die dichtgeschoven waren en heen en weer wapperden. Marijke kon niet goed zien wat er gebeurde, maar ze zag wel dat ze er allebei nog stonden. Dan hadden ze het vast allang niet meer over de bushalte, dacht Marijke grinnikend. Dat kon immers zo lang niet duren. Tja, wat zou ze nu doen? Hij moest toch ook begrijpen dat ze op het punt stonden om te gaan eten. De tafel was gedekt. Ze besloot naar hen toe gaan. Ze deed de kookplaat uit, pakte zout en peper uit het kastje en tilde de koekenpan op. Ze liep ermee tussen de gordijnen door naar buiten en zette de koekenpan snel op tafel. Pff, die was zwaarder dan ze verwacht had, maar dat was nu eenmaal zo bij pannen die voor elektrisch koken gemaakt waren. Die hadden een dikke en lood-zware bodem.

'O,' zei de man geschrokken. 'Jullie gaan eten. Neem me niet kwalijk.'

'We hebben vakantie, hoor,' zei Edith lachend. 'We hebben de tijd aan onszelf. Wil je soms ook een broodje?'

'Dat kan ik niet maken, jullie brood opeten, maar wacht, ik heb zelf wel brood.'

'Wil je ook een gebakken ei?' vroeg Edith. 'Dan bak ik dat nog snel.'

'Nee, alsjeblieft, zeg, doe geen moeite.' Hij haastte zich ervan-door.

'Je vindt het toch niet erg,' zei Edith zacht tegen Marijke.

'Natuurlijk niet. Misschien is het wel heel gezellig.'

'Nou ja… ik…'

'Wat?' Marijke zag Ediths ogen glanzen. Dat had ze nog nooit eerder gezien. Het was duidelijk. Ze mocht deze man. Wat grappig en wat leuk!

'Ik pak even een stoel.' Edith liep naar de zijkant van het terras, waar nog een paar extra stoelen stonden. Tenslotte hadden ze een vierpersoonsappartement. 'Zal ik ook een bordje met bestek ophalen of zou hij dat zelf meebrengen?'

'Geen idee, maar het staat aardiger als jij het ophaalt. Liever dub-bel dan niets, toch?'

'Oké.' Edith haastte zich naar binnen. Marijke hoorde hoe ze met snelle pasjes over de vloer bewoog. Ze was echt weg van deze man! Ze hoopte van harte dat zij hem ook leuk zou vinden, want dat maakte het dan wel een stuk gemakkelijker. In de verte zag ze hem weer komen. Hij had een prettige loop over zich en hij zag er ook prima uit. Hij was nog niet kaal, maar had een aardi-ge bos krullen, waar Marijke wel van hield. Hij had geen baard, zoals Johan, maar verschil moest er zijn.

'Wat zit jij te glimlachen?' vroeg Edith.

'Ach, niks.'

'Niks?'

'Nee, ik zat aan Johan te denken, meer niet.'

'Nou, dat is genoeg. Zou hij ook melk willen?'

'Johan?' vroeg Marijke verbaasd.

'Nee, natuurlijk niet! Die man.'

'Dat kun je hem zelf vragen.'

Edith keek op. 'Wil je ook melk?'

'Nee, liever een glas water. Heb je dat? En dan zal ik me eerst maar eens voorstellen. Ik ben Ted.' Hij stak zijn hand uit naar Marijke en schudde die, waarna hij zich tot Edith wendde en nogmaals zijn naam zei en ook haar hand schudde.

'Edith,' zei ze en het klonk opeens erg verlegen. Zo had Marijke haar nog nooit gehoord.

'Wil je water met of zonder bubbels?' vroeg Edith.

'Als je hebt, zonder.'

Edith liep naar binnen, terwijl Marijke een broodje doorsneed om er een gebakken ei op te leggen. Ted had inderdaad geen bord en bestek meegenomen. Ergens vond Marijke dat raar. Nu moesten zij dus zijn bord afwassen, terwijl zij ook vakantie hadden. Niet dat het wat uitmaakte, maar het gebaar. Of was hij normaal gesproken niet alleen, had hij thuis een vrouw die voor dat soort dingen zorgde, zodat hij er daarom niet aan gedacht had?

Edith zette het glas water bij zijn bord en ging zitten, pakte ook een broodje en belegde het met ei.

Niemand zei wat. Dus verbrak Marijke de stilte. 'Ben je hier allang op vakantie?'

'Sinds gisteren. En jullie?'

'Wij zijn hier al zes dagen, dus al langer dan de helft,' zei Marijke met een hoorbaar spijtige klank in haar stem.

Weer viel er een stilte. Marijke wierp een blik op Edith, die anders toch niet snel op haar mondje gevallen was, maar nu kwam er geen woord uit.

'En?' vroeg Marijke dus maar, 'heeft mijn vriendin je met de bushalte kunnen helpen?'

'Ja, inderdaad. Althans, ze heeft me de weg gewezen. Ik ga hem straks eens opzoeken. Echt vreemd dat ik hem zelf niet vinden kon.'

Weer die vervelende stilte. Edith, zeg toch wat, schreeuwde Marijke in haar binnenste. Maar Edith hoorde haar blijkbaar niet. En waarom zegt Ted niets uit zichzelf?

'Het is niet netjes,' zei Marijke, 'maar ik moet echt even weg.' Ze stond op en verdween het appartement in, liep door naar het toilet en bleef daar een poosje zitten. Wat een rare toestand. Hoe kwam dat? Schaamde Edith zich dat ze iemand leuk vond waar Marijke bij was? Dat sloeg dan nergens op. En waarom zei die man niets? Nou ja, hij was meteen al wat schutterig overgekomen, aarzelend, niet echt sterk en krachtdadig, maar nu bleef er niets meer van over. Ze stond op en trok door, liep op haar tenen terug naar de grote deuren en probeerde te luisteren of de twee in gesprek waren. Maar hoe Marijke ook luisterde, ze hoorde niets. Wat was er toch aan de hand? Er zat niets anders op dan weer naar buiten te gaan.

Edith keek haar opgelucht aan. 'Voel je je wel goed?' vroeg ze bezorgd. 'Als je ziek bent, moet je het zeggen, hoor, dan stop ik je meteen in bed.'

Een hele volzin, dacht Marijke. Tegen mij wel. Tegen hem niets. Dan ik maar weer, dacht ze. 'Ga je wel vaker alleen op vakantie, Ted?'

Hij keek haar verbaasd aan. 'Alleen?'

'Ja, of eh… ben je niet alleen?'

'Helemaal niet. Ik ben met mijn vriend, maar die voelt zich niet lekker, die kreeg meteen na aankomst buikgriep en ligt in bed.'

'Je vriend?' vroeg Marijke.

'Ja, natuurlijk. Jullie zijn toch ook lesbisch. Daarom durfde ik jullie wel aan te spreken. De meeste mensen lachen ons uit, vinden ons raar, maar ik dacht dat jullie… en dat was toch ook zo? Ik mocht zelfs mee-eten.'

Marijke was even perplex, toen begon ze te lachen. 'Beste Ted, in de eerste plaats zijn wij niet lesbisch, in de tweede plaats lachen wij nooit mensen uit, wie of wat ze ook zijn, en in de derde plaats: als je mee mag eten, vind ik het wel zo leuk als je ook wat zegt, maar je verviel totaal in zwijgen en dat was ongezellig. Maar nu heb je bijna al te veel gezegd.'

'Zijn jullie niet lesbisch?'

'Nee, wij zijn gewoon twee vriendinnen. Ook dat kan, Ted.'

Hij knikte en stak snel een stuk brood in zijn mond.

Edith zei nog steeds niets. Ze at zelfs niet eens, maar zat wat met haar gebakken ei te spelen.

'Ik ga maar weer eens,' zei Ted. Hij pakte zijn halve broodje en het zakje met vleeswaren dat hij meegebracht had, knikte naar hen en verdween.

Toen pas begon Edith te lachen. De tranen rolden haar over de wangen, maar uiteindelijk ging haar lachen over in huilen. 'Wat ben ik stom geweest, zeg. Ik schaam me te pletter!'

'Welnee, meid, doe niet zo raar. Dat kon jij toch niet weten?'

'Wel. Alleen net iets te laat. Ik zag het opeens toen hij bij ons ging zitten. Hij droeg een ring! Goed, ik wist niet dat hij homo was, maar die ring zei voldoende.'

'Dus daarom viel je stil?'

Edith knikte en veegde haar tranen weg.

'Joh, dat kan iedereen overkomen,' troostte Marijke haar.

'Dat zal best, maar…' Edith viel opnieuw stil, maar deze keer liet Marijke haar. Ze nam een paar slokken van haar melk en keek om zich heen. Het was best een mooi complex waar ze terechtgekomen waren en het was vooral zo heerlijk dat de zon zo veel scheen.

'Ik zag hem gisteren,' verbrak Edith dan toch de stilte. 'Ik dacht meteen: wat een leuke man. Weet je, Marijke, dat denk ik eigenlijk nooit. Ik vind de meeste mannen van onze leeftijd niet meer mooi.' Ze zuchtte. 'Maar deze vond ik leuk om te zien en dat verraste me. Dus toen ik hem vanmorgen zag lopen, was ik benieuwd waar hij woonde en of hij alleen was. Gisteren liep hij ook alleen, nu weer…'

'En toen kwam hij ook nog op ons af.'

'Inderdaad, mijn dag kon niet meer stuk, dacht ik. Ik schaam me misschien niet echt omdat ik voor een homo viel, maar wel omdat ik eindelijk eens een leuke man zag.'

'Meid, er is helemaal niets om je over te schamen. Niets, hoor je me?' Marijke lachte haar toe. 'Kom, eet je ei eens op, het is helemaal koud geworden.'

'Onmogelijk, met deze warmte.'

'Gelukkig, je kunt weer grapjes maken.'

Edith glimlachte. 'Goed, ik ga eten en jij vertelt.'

'O?'

'Ja, we hebben het nog steeds niet over Karin gehad. Ik dacht: laat ik maar niet vragen. Het is misschien pijnlijk. En ik dacht ook: ze vertelt het wel als ze eraan toe is. Maar je zegt niets.'

'Er is ook niet veel te vertellen. Nou ja, alleen maar positieve geluiden dan. Het weekend op Terschelling lijkt haar goed gedaan te hebben.'

'Lijkt?'

'Ja, ze zag er veel rustiger uit, deed ook rustiger. Alleen Steven maakte dat ik me toch nog bezorgd voelde, door de blik in zijn ogen. Maar twee dagen voor ik op vakantie ging, kwamen ze zomaar langs om afscheid te nemen.'

'Wat leuk!'

'Ja, dat vond ik ook. Echt verrassend. En Karin was zo opgewekt en zo lief tegen de kinderen. Johan zei zelfs later tegen me dat ik duidelijk zwaar overdreven had en dat het tijd werd dat ik ze losliet en ze hun eigen gang liet gaan.'

'Dat doe je toch ook?'

'Dat dacht ik ook. Nou ja, waar Karin ook last van had, het is weg, en dat is een pak van mijn hart. Maar als je wilt dat ik nog een poosje doorpraat, kan ik je wel een verhaal vertellen over een patiënte van mij en haar buurvrouw. Maar dan hebben de hele middag nodig.'

'Leuk. Ik luister graag naar jouw verhalen, hoe verdrietig ze soms ook zijn. Maar dan gaan we wel ergens op een terrasje zitten met een grote ijsco.'

'Wat fijn dat je er weer bent.' Johan rende op zijn vrouw af zodra ze door de douane op Schiphol was en de aankomsthal binnenkwam. 'Ik heb je zo gemist!'
'Dag lieverd, hoe is het?' Marijke vloog hem om de hals.
Edith stond het genietend te bekijken.
Johan liet zijn vrouw los en liep op Edith af. 'Hallo, fijn dat je weer heelhuids terug bent.' Hij kuste haar op haar wangen. 'En wat zie je er gezond uit. Je hebt gewoon blozende wangen!'
Dat had hij niet moeten zeggen, want nu begon Edith nog harder te kleuren.
Johan fronste zijn wenkbrauwen en keek haar onderzoekend aan. Marijke schoot in de lach. 'Kom,' zei ze om de aandacht van haar vriendin af te leiden, 'waar heb je de auto staan?'
'Volg mij maar,' zei hij opgewekt. Hij greep het handvat van Marijkes koffer beet en met zijn andere hand die van Edith, maar al hadden de koffers wieltjes, hij stopte toch meteen. 'Pfff, wat hebben jullie er allemaal in zitten? Ze zijn veel zwaarder dan op de heenweg.'
'Souvenirs, cadeautjes,' zei Marijke.
'Maar zo zwaar?'
'Een fles drank weegt nu eenmaal veel, maar ik heb mijn koffer zelf tot hier gekregen, dus ik kan de rest ook wel.'
Tegelijk grepen ze ieder hun eigen koffer beet.
'Hallo! Ik kán het wel,' zei Johan, die het geen gezicht vond, twee vrouwen die hun eigen koffer trokken terwijl hij niets om handen had. 'Laat los! Dat is mannenwerk. Nou ja, als er eentje in de buurt is.' Hij stak zijn borst vooruit als om aan te geven dat hij een echte man was.
Marijke grijnsde naar Edith en liet hem haar koffer overnemen.
Edith volgde haar voorbeeld en haalde daarna haar mobiele telefoon tevoorschijn. 'Ik hoorde net dat ik een sms'je kreeg,' fluisterde ze. 'Dat kan eigenlijk maar van een persoon komen.' Haar

wangen werden roder, terwijl ze de tekst las.

'En?' vroeg Marijke nieuwsgierig.

'Ja, het is van hem. Hij vraagt of de vlucht goed gegaan is en wat voor weer het hier is.'

'Nou, dat kun je nu wel zien,' zei Marijke. Ze waren bij de grote automatische deuren naar buiten aangekomen. Het waaide en het leek alsof er een zachte motregen viel. 'Brrr,' mopperde ze tegen Johan. 'Vanmorgen lag ik nog in mijn badpak op het strand.'

'Dat is nauwelijks te geloven,' vond hij. 'Kom, de auto staat daar. Het is niet ver.'

Hij tilde de koffers in de achterbak en liet de dames instappen. Zelf ging hij achter het stuur zitten en startte de auto. 'Over anderhalf uur zijn jullie weer thuis,' zei hij glimlachend. 'Ik heb je echt gemist. Maar hoe hebben jullie het gehad?'

'Geweldig,' zei Marijke spontaan. 'Echt fantastisch en echt vakantie,' zei Marijke.

'Hoe bedoel je? Echt vakantie hebben we toch elk jaar?'

'Dat dacht ik ook, maar dit was anders. Nog onspannender dan ik gewend was.'

'Hoezo?'

'Dat zal ik je nog weleens uitleggen.' Ze had nu geen zin om een moeilijk gesprek te voeren over echtgenote en vrouw zijn en voor hem zorgen en misschien begreep hij het wel niet eens, want ze hoefde immers niet voor hem te zorgen, dat kon hij heel goed zelf. Althans, dat zou zeker zijn reactie zijn en daar had hij dan ook gelijk in. Het zou ook wel aan haarzelf liggen dat ze altijd wilde zorgen, zo was ze opgevoed en ze was altijd zo geweest. Alleen met Edith was dat anders en dat had ze dus erg prettig gevonden. Johan wierp ondertussen een blik in het achteruitkijkspiegeltje en zag dat Edith een bericht aan het intoetsen was op haar telefoon.

'Wat is ze stil. Is er iets gebeurd?'

Marijke keek hem geheimzinnig aan. 'Misschien wel, ja.'

'Misschien?'

'Ook dat vertel ik je nog weleens.'

'Nou, als jij niets vertelt, zal ik maar wat vertellen. In de eerste plaats heeft er een collega van je gebeld. Ze was bij een patiënte van jou geweest en die was zo teleurgesteld dat jij niet kwam. Ze had je zo veel te vertellen. Dus je moet er bij je volgende bezoek rekening mee houden dat je extra tijd voor haar hebt.'

'O?' Marijke fronste haar wenkbrauwen en toen wist ze het opeens. 'Mevrouw Tuinstra soms?'

'Inderdaad. Ik heb de naam niet onthouden, maar het was iets met planten.'

Marijke glimlachte. Ze had de oude dame verteld dat ze op vakantie zou gaan en een keer niet kwam. Misschien was ze het vergeten of misschien waren er weer nieuwe verwikkelingen met haar buren.

'En in de tweede plaats,' ging Johan onverstoorbaar verder, 'is er zo een verrassing voor je thuis. Ik hoop tenminste dat je het een verrassing vindt. Ben je trouwens niet erg moe van de lange reis?'

'Lange reis? Dat viel wel mee, hoor. Paar uurtjes vliegen, en vliegen is prachtig. Maar je maakt me wel nieuwsgierig.'

Hij grijnsde. 'Dat was de bedoeling ook.' Hij keek nog eens in het achteruitkijkspiegeltje en schudde zijn hoofd. 'Ze is er maar druk mee. Nu krijgt ze een bericht terug.'

'O ja?' Marijke wierp een blik over haar schouder en zag dat Edith druk met haar telefoontje bezig was. Ze glimlachte en keek Johan warm aan. 'Hoe is het verder gegaan thuis? Lukte het zonder mij?'

'Natuurlijk, ik ben een grote man, maar het was wel leeg. Vooral in bed vond ik er niets aan. En koud ook.'

Ze stak haar hand uit en streelde zijn baard. 'Ja, in bed heb ik jou ook gemist. Echt raar om alleen te slapen. Maar misschien was het ook wel goed voor ons. Nu weten we weer eens wat het voor ons betekent dat we elke nacht naast elkaar liggen.'

'Dacht je dat ik dat niet wist?'

Marijke wierp hem een lieve blik toe, maar keek weer om. Ze hoorde Edith haar telefoon opruimen en knipoogde. Edith kleurde alweer, maar zei niets.

'Ga je nog met ons mee naar huis?' vroeg Johan, die ook doorhad dat ze eindelijk klaar was.

'Nee, dank je. Ik ga het liefst meteen naar mijn eigen huis.'

'Maar bij ons is koffie met gebak,' wierp Johan tegen.

'Gebak?' riep Marijke.

'Ja, het is toch feest. Jij bent er weer.'

'Vakantie en gebak. Het kan niet op! Nou?' Marijke keek achterom, maar Edith schudde haar hoofd. 'Niet boos worden, want het heeft niets met jou te maken, maar nu de vakantie erop zit en we verplicht naar huis moeten, wil ik ook graag naar huis en het liefst alleen. Ik ben het gewend direct na de vakantie in een leeg huis te komen en eigenlijk vind ik dat zelfs prettig.'

'Oké, gooien wij jou er straks eerst uit. Heb jij het ook fijn gehad?'

'Heerlijk!' riep Edith. 'Het was zo leuk samen met Marijke. Zo heel anders dan alleen of met een groep vreemde mensen. Ik heb meer genoten dan anders.'

'O, o, dat klinkt alsof jullie nog eens gaan,' zei Johan.

'Dat zit er dik in,' zei Marijke, 'maar eerst mag jij met je zoon naar een voetbaltoernooi of wat dan ook.'

'Ik heb het er al met Tim over gehad en hij vond het prachtig. Dus dat gaat ook zeker gebeuren.'

Precies anderhalf uur na het vertrek van Schiphol zetten ze Edith af bij haar huis. Johan bracht haar koffer nog naar binnen, maar daarna reden ze direct door naar hun eigen woning.

Johan greep meteen weer de koffer en Marijke moest toegeven dat ze dat wel een beetje gemist had. Hij sjouwde altijd met de zwaarste dingen, nu had ze alles zelf moeten meeslepen.

'Wil je koffie?'

'Graag. Je had het over gebak, dus…'

'Alleen even het knopje indrukken. Ik had het apparaat al gevuld. Ik hoop wel dat je me wat vertelt, hoor. Al dat geheimzinnige gedoe van: dat vertel ik nog weleens.'

Ze lachte en zocht haar digitale fototoestel op. 'Ik ga er morgen meteen afdrukken van laten maken, maar ik zal ze je nu vast laten zien, dan heb je een idee.'

'Mooi. Ik ben erg benieuwd hoe het er daar uitziet.'

Hij liep weer naar de keuken en Marijke keek de kamer rond. Het was duidelijk dat hij nog onlangs gezogen had, want het zag er keurig uit. Ze wist ook wel dat ze hem alleen kon laten, maar toch. Het was nog nooit gebeurd. Toen hij binnenkwam, gaf ze hem een compliment over hoe de kamer eruitzag.

'Ik heb zelfs het bed gisteravond verschoond, maar ik heb de boel nog niet gewassen. Ik dacht dat jij waarschijnlijk ook van alles moet wassen, dus dan kan dat mooi in een keer.'

Marijke keek hem verrast aan. 'Je bent geweldig, alleen kan ik mijn zomerkleren natuurlijk nooit samen wassen met het beddengoed.'

'Waarom niet?'

'Kijk, gelukkig, je weet nog niet alles. Ben ik toch nog ergens voor nodig.'

Hij zette de koffie neer en twee schoteltjes met gebak en kwam toen op haar af, sloot haar in zijn armen en kuste haar uitgebreid en teder. 'Je bent ontzettend nodig! Ik heb je echt enorm gemist. Alles is zo anders als jij er niet bent. Ik miste je lach en je praatjes, je gezicht dat naar me kijkt en je lichaam naast me. Dat heeft niets met het huishouden te maken.' Hij kuste haar weer en ze genoot van zijn aanrakingen, die ze natuurlijk zelf ook erg gemist had.

Hij liet haar los en keek haar aan. 'Je ziet er gezond uit. Volgens mij ben je echt bruiner geworden.'

'Dat moet haast wel, zoveel als wij in de zon zijn geweest.'

'Dus het was echt goed weer?'

Ze knikte.

'En?'

'Wat en?'

'Heb je nog geflirt of sjans gehad?'

'Johan, wat denk jij nou?'

Hij haalde zijn schouders op. 'Iedereen op kantoor zei dat ik uit moet kijken. Een vrouw alleen, dat kan niet goed gaan.'

'Zeg, moet ik boos worden? Wat is dat nou? Johan, ik hou van jou. Ik moet er niet aan denken om een ander te kussen. Oké, ik heb wel sjans gehad. Er waren inderdaad wel mannen die naar me keken en dat vond ik zelfs leuk! Maar ik heb niet met ze geflirt, zeg. Je kent me toch?'

Hij zuchtte. 'Dat heb ik ook tegen iedereen gezegd, maar... Nou ja, we hebben altijd alles samen gedaan.'

'Lieve schat, wat kan jij dom zijn.'

'Maar je wilt nog een keer met Edith weg.'

'Ja, maar niet om te flirten. Met Edith is alles anders en dat is ook weleens leuk.'

'Hm.'

'Zeg, heb je er spijt van dat je me hebt laten gaan?' vroeg ze.

'Nee, dat is het niet. Ik heb je alleen veel meer gemist dan ik verwacht had. Het huis was zo leeg en kil.'

Ze pakte hem beet en begon hem te kussen. 'En dat wil dan ook nog eens met zijn zoon een paar dagen weg.'

'Daarom was ik ook zo geïrriteerd. Ik wil dat heel graag, weet je, dus moest ik ook niets van jou denken. Het zal wel door die stomme collega's van mij komen.'

'Ze zijn gewoon jaloers dat wij het zo goed hebben samen. Nou, wil je de foto's bekijken? Dan kun je zelf zien dat het zulk prachtig weer was en dat we een leuk appartement hadden. We hebben trouwens ook nog twee dagen een auto gehuurd om het eiland te bekijken en we zijn heerlijk uit eten geweest. Ik ben vast tien kilo aangekomen.'

'Waar?' Hij begon haar buik te voelen en ze schoot in de lach.

'Hier,' zei ze en stak hem de camera toe.

Hij pakte hem aan, maar keek naar Marijke. 'Ik had nog een verrassing voor je. Kijk.' Hij stak haar een grote envelop toe, die nog dichtgeplakt zat. Als ze het goed zag, was het handschrift erop van Karin. Ze trok vragend haar wenkbrauwen op.

'Ik weet wat erin zit, maar ik zeg niets.'

Marijke opende de envelop met haar taartvorkje en keek met grote ogen naar de twee tekeningen die eruit kwamen. 'Wat mooi,' zei ze ontroerd. 'Wat ontzettend lief ook.' Ze bestudeerde de afbeeldingen. Op die van Sterre was met enige moeite een mens te ontdekken, maar verder herkende ze niets. Op die van Jolien leek wel een soort van vliegtuig in de lucht te hangen en lag een vrouw in het water te dobberen. 'Dus zo zien ze mij op vakantie,' glimlachte ze. 'Sjonge, wat lief van die meiden en ook van Karin dat ze de moeite nam om ze op te sturen.'

Marijke keek nog eens in de envelop en vond nog een kaartje. 'Welkom thuis, mamma,' stond erop. 'Nou, sjonge, ik krijg het er warm van. Echt lief. Zullen we dan nu maar?'

'Nog steeds niet. Eerst nog vertellen wat er met Edith was.'

'Ach, Edith.' Marijke vertrok haar gezicht in een grijns. 'Die heeft een aardige man ontmoet.'

'Edith?'

'Ja, Edith. Ik niet.'

'Sorry, zo bedoelde ik het niet.

Ze lachte. 'Weet ik wel.' Ze ging rechtop zitten en nam een slok van haar koffie. 'Eergisteren, dus zo goed als aan het eind van onze vakantie, kwam er een man met koffer langs ons appartement. Hij zag ons zitten en groette ons en vroeg of wij wisten waar nummer 23 was. Hij had niet goed geluisterd naar de uitleg, gaf hij toe. Edith vloog meteen overeind om het hem te wijzen. Ik was echt verrast door haar actieve reactie. Ze liep zelfs een eindje met hem mee. 's Avonds zagen we hem weer. We waren even naar de bar gegaan voor een slaapmutsje. O, schiet me wat te binnen. Staat mijn koffer nog beneden?'

'Ja.'

'Daar zit een fles drank in voor jou. Daarom was-ie zo zwaar.'

'Aha. Drank. Canarische drank?'

'Precies.' Ze glimlachte. 'Maar goed. Hij zat ook in de bar en we raakten aan de praat. Het was echt een prettige man. Heel gezellig, heel aardig. Had van alles te vertellen, maar vroeg ook van alles. Hij zag er ook erg leuk uit, weet je. Hij heeft namelijk een baard en je weet, ik val op baarden.' Ze nam een stukje van het gebak. 'Mmm, lekker. Nou ja, op een gegeven moment wilde ik wel naar bed, maar Edith gebaarde dat ik nog niet weg mocht gaan. We waren immers samen op vakantie. Dus als ik ging, moest zij ook gaan. Maar ik stond op. Ik zei dat ik te moe was om nog langer te blijven. Ik zou de deur gewoon openlaten, zodat ze erin kon als ze ook kwam. Zonder nog op een reactie te wachten, ben ik weggegaan. De volgende morgen vertelde ze me met hoogrode wangen dat ze nog tot twee uur hadden zitten praten. Toen werden ze de bar uitgejaagd, omdat ze gingen sluiten. Hij had haar keurig tot aan de deur gebracht en gevraagd of ze elkaar nog eens konden ontmoeten. Veel mogelijkheden waren er niet, maar gistermiddag heeft ze een lange strandwandeling met hem gemaakt terwijl ik een boek gelezen heb. Ze is echt tot over haar oren verliefd. Hij heet Richard, is 61, gescheiden, heeft twee kinderen en drie kleinkinderen en van beroep is hij treinmachinist.'
'Wat verrassend. Ik kan me haast niet voorstellen dat het wat wordt. Ik bedoel, ik kan Edith gewoon niet samen met een man zien.'
'Daar heb je gelijk in, maar als je haar ogen gezien had, dan… tja, ze keek zo verliefd als ze over hem vertelde. Ik ben echt heel blij voor haar. Ik hoop dat het wel wat wordt.'
'Natuurlijk, dat hoop ik ook, maar het idee. Hoe lang kennen we haar nu al, en altijd alleen?'
'Maar dat was niet haar wil. Het is nu eenmaal zo gelopen. Nou, kom lekker dicht tegen me aan zitten, dan gaan we de foto's bekijken.'

Zaterdagmorgen bekeek Marijke de foto's opnieuw, maar nu bij Edith thuis, en niet op de camera, maar als echte papieren foto's.

Ook Edith had haar foto's laten afdrukken.

'Ik had Johan eigenlijk ook verwacht,' zei Edith, toen ze de koffie voor hen neerzette.

'Johan is opeens verslaafd aan voetbal,' vertelde Marijke. 'Hij heeft vorige week woensdagmiddag vrijgenomen en is naar Zwolle gereden om naar de voetbaltraining van Jorm te kijken. En vorige week zaterdag is hij naar Dalfsen geweest, waar Jorm een uitwedstrijd had. Vandaag moest hij weer thuis, dus in Zwolle, en Johan popelde om weer te gaan kijken. Maar hij zei wel dat het geen gewoonte wordt, want het is toch wel een eind rijden voor alleen maar een korte wedstrijd. Jorm is nog zo klein dat ze maar korte wedstrijden spelen. Twee keer twintig minuten of zo. Ik weet het niet precies. Nou, vertel, heb je nog iets van Richard gehoord? En wanneer komt hij weer terug?'

Edith bloosde en dat stond haar schattig, vond Marijke.

'Heb je alles aan Johan verteld?'

'Niet van Ted, dat vond ik niet nodig, maar wel van Richard.'

'Dank je. Ik schaam me al erg genoeg dat ik op twee mannen in één vakantie viel.'

'Doe niet zo raar, zeg. Dat kan gebeuren. Ze zagen er allebei toch leuk uit?'

'Maar ik voel me zo stom. Al jaren heb ik niet meer een man gezien die mijn belangstelling op kon wekken en nu twee vlak achter elkaar. Ik schaam me gewoon naar jou toe. Wat moet je wel niet denken? Dat ik op iedere willekeurige vreemde man val?'

'Dat is geen seconde in me opgekomen, Edith. Echt niet. Ik denk gewoon dat je er open voor stond.'

'Dat sta ik altijd,' bromde ze. 'Al heb ik me erbij neergelegd dat ik alleen blijf, ik kijk toch altijd of ik iemand zie die ik leuk vind. Maar dat gebeurt nooit. En nu twee in een paar dagen. Ik voel me er echt ongemakkelijk onder naar jou toe.'

'Edith, toe, wat een onzin. Maar ik denk dat ik het wel begrijp. Als je altijd rondkijkt of je een leuke man ziet, ben je er in gedachten best wel mee bezig om er een te vinden. Je bekijkt iedere man met een blik van: is hij wat voor me? Nu was je met mij op vakantie en dat was anders. Je was misschien meer ontspannen en keek niet naar mannen. En juist daarom stond je er open voor. Je zocht niet, maar zag ze toevallig.'

'Hm.' Edith zweeg een poosje, maar glimlachte toen. 'Misschien heb je inderdaad wel gelijk. Ik was met jou op vakantie en het is zelfs niet in me opgekomen dat ik misschien ergens een leuke man zou zien. Ik ben inderdaad anders op vakantie gegaan.'

'Zie je?' riep Marijke uit. 'Dat bedoel ik. En toen gebeurde het zomaar.'

'Best wel stom,' vond Edith. 'Altijd kijk ik om me heen, doe ik het een keer niet... Dat had ik dus al veel eerder niet meer moeten doen.'

'Ach, dan was je daar weer bewust mee bezig geweest, met het niet kijken. Joh, wat doet het er allemaal toe. Je hebt Richard nu ontmoet en het ziet er allemaal veelbelovend uit, of niet?'

Edith knikte hard. 'Hij is zo attent, stuurt elke dag wel een sms'-je en hij heeft twee keer gebeld. Zodra zijn vakantie erop zit en hij weer in Nederland is, komt hij hierheen, want hij wil me graag veel beter leren kennen. En ik hem.' Edith straalde.

'Ik vind het heerlijk voor je. Ik gun je dit zo. Ik hoop echt dat hij de man blijkt te zijn op wie je al die tijd gewacht hebt.'

'Nou ja, gewacht.' Edith zuchtte. 'Ik wil dus wel graag iemand. Het is soms vreselijk alleen om niet een vriend te hebben met wie je kunt lachen en huilen en aan wie je de domste dingen kunt vertellen, maar tegelijk ben ik best erg bang. Ik heb nog nooit samengewoond met iemand. Zou ik dat wel kunnen? Zelfs een weekend lijkt me al eng. Lopen we elkaar niet voor de voeten, zou hij niet vinden dat ik rare gewoontes heb? Of misschien heeft hij die wel en kan ik daar dan mee omgaan?'

'Hallo!' riep Marijke uit. 'Even kalm aan, zeg. Van samenwonen is toch nog lang geen sprake. Jullie doen de dingen toch stap voor stap. En dacht je dat allemaal ook toen wij op vakantie gingen?

Dat jij of ik van elkaar zouden vinden dat we rare gewoontes hadden?'

'Nee, natuurlijk niet.'

'Wat is er anders aan? Je was tien dagen met mij in één huis. Goed, we hadden ieder onze slaapkamer, maar we kwamen elkaar overal tegen. In de badkamer, in de keuken. We deden alles samen. Dat is toch net zoiets?'

'Hm, eigenlijk wel, ja.'

'Zie je en dat ging ook prima. Komt hij meteen een weekend bij je logeren dan?'

'Ja, maar logeren, precies zoals je zegt. Hij krijgt de logeerkamer. Inderdaad, alles stap voor stap en heel kalm aan.'

Marijke glimlachte. 'Joh, je moet ervan genieten en je moet je geen zorgen maken. Gewoon laten gebeuren. En mocht het je toch niet aanstaan wat er gebeurt, dan zet je er een punt achter. Maar niet van tevoren bijna al een punt zetten door al je zorgen over dingen die misschien helemaal niet gaan gebeuren.'

'Ze zat onder de blauwe plekken, zuster. Het was echt verschrikkelijk.' Mevrouw Tuinstra begroette Marijke niet eens, maar stak direct van wal toen Marijke haar voet over de drempel zette. 'Volgens mij was haar neus gebroken en ze had gewoon een zwart oog! Ik heb meteen een taxi gebeld. Tobias is hier gebleven. Haar man was erachter gekomen en die was woest en...'

'Mevrouw Tuinstra,' onderbrak Marijke haar. Ze begreep direct dat het over buurvrouw Annet ging, maar verder kon ze het niet echt volgen. 'Begin eens bij het begin. Hoe kwam u erachter dat ze er zo uitzag?'

'Ik belde haar op. Ik vond het vreemd dat Tobias al twee dagen niet buiten was geweest. Ik vroeg of ze een kop koffie wilde, maar dat wilde ze niet. Ze deed heel onvriendelijk en daar begreep ik niets van. Ze verbrak de verbinding zonder uitleg. Met veel moeite ben ik naar buiten gelopen en heb bij haar aangebeld. Ze deed open en toen zag ik het. Tobias stond achter haar. Hij verstopte zich achter haar benen. Het was allemaal zo zielig, zuster. Verschrikkelijk. Ik zei dat ze met me mee moest komen om te vertellen wat er gebeurd was. Ik zette koffie voor haar en plotseling begon ze te huilen. Goeie genade, ik wist me geen raad, zuster. Een volwassen vrouw die zat te janken als een kind. Ik heb haar de keukenrol toegestopt en ze snoot haar neus en veegde haar tranen weg. Ze vertelde dat Tobias iets gezegd had wat haar man niet begreep en die wilde uitleg. De kleine jongen had iets verteld over hun bezoek aan de mevrouw die hen helpt hoe ze met elkaar moeten omgaan. En toen moest Annet het wel uitleggen. Hij werd zo kwaad dat hij begon te schoppen en slaan. Het was al twee dagen eerder gebeurd, maar volgens mij moest ze dringend naar het ziekenhuis om verzorgd te worden en daarom heb ik een taxi gebeld. Wilt u koffie?'

'Nee, dank u, maar vertel verder. Ik wil uw verhaal natuurlijk nog wel horen.'

Marijke had ondertussen een buisje bloed afgenomen en ging nu tegenover de vrouw zitten.

'Er is toch nog iets goeds van gekomen, want zij ging weg en Tobias bleef hier, maar ze kwam alsmaar niet terug. Ik belde eens naar het ziekenhuis en daar zeiden ze dat ze aan haar neus geopereerd werd en dat het nog wel even kon duren. Om vijf uur kwam haar man thuis. Ik hoorde hem roepen en tieren en met de deuren slaan. Tobias hoorde het ook, die kromp ineen en kroop onder de tafel. Erg toch, zuster, als een kind zo bang is voor zijn vader?' Marijke knikte.

'Ik dacht, ik moet het hem maar gaan vertellen, anders slaat hij de boel nog kort en klein. Dus ik zei tegen Tobias dat hij rustig moest blijven zitten en ik ging opnieuw naar buiten, belde aan. Hij rukte de deur open en schreeuwde: 'Wat mot je?' Maar toen hij zag dat ik het was, bond hij toch wat in. Niet dat hij mij kende, maar mijn leeftijd, hè, daar had hij toch wel respect voor. Ik zei dat Annet in het ziekenhuis was, omdat hij haar zo geschopt en geslagen had, en dat ze voorlopig nog niet terugkwam en misschien wel nooit meer. Dat was best riskant om te zeggen, maar ik wilde zo graag tot hem doordringen. Het was trouwens een heel forse kerel, best wel angstaanjagend. Eén klap en hij had me op de vloer, hoor.' Ze glimlachte en rolde zonder erbij na te denken de mouw van haar blouse weer naar beneden. 'Hij bedaarde en keek me aan. Wat bedoelt u? vroeg hij. Ze is mijn vrouw. Ik vroeg of hij een kopje koffie wilde. Hij was helemaal perplex en zei nog ja ook. Hij kwam mee, vond Tobias onder de tafel en wilde gaan schreeuwen, maar ik schraapte alleen maar mijn keel en hij was stil. Hij had toch wel door dat je niet overal maar tekeer kon gaan. Ik ging koffie zetten en ondertussen vertelde ik hem dat ik Annet naar het ziekenhuis had gestuurd en dat ze geopereerd moest worden. Ik vertelde hem ook dat ik maatschappelijk werk gebeld had en dat die zich er nu mee bemoeide. Hij keek me aan alsof hij het in Keulen hoorde donderen. 'Wat is er mis met ons? Waar bemoei je je mee? Dat zijn jouw zaken toch niet?' Maar ik hield voet bij stuk. Kindermishandeling bij mijn buren zijn mijn zaken wel. Net als vrouwenmishandeling, zei ik. 'Mishandeling,' zei hij, 'belachelijk. Ze is mijn vrouw.' Ik gaf hem koffie en zei niets. Ik heb ook geen ervaring met dit soort dingen. Wat moest ik zeggen? Tobias kroop steeds verder weg in het hoekje, maar hij had geloof ik wel door dat hij toch veilig was zolang hij in mijn huis was. Buurman vroeg hoe Annet weer terugkwam. Ik zei dat ik dat niet wist. Ze zouden bellen als ze klaar was, maar ik zei ook dat Tobias en ik honger hadden en dat ik geen eten voor kinderen in huis had. Of hij niet wat patat kon halen bij de snackbar om de hoek. Ik stak hem mijn portemonnee toe.'

Marijke keek haar met opgetrokken wenkbrauwen aan.

'Ha, ik wist dat er maar twintig euro in zat. Als hij die wilde pikken, dan moest het maar, maar ik wilde hem laten zien dat ik hem vertrouwde. Nou, zuster, ik heb me daar toch lekker gegeten. Het was jaren geleden dat ik patat gehad had met een kroket. Sjonge, wat heb ik gesmuld. Tobias vond het blijkbaar vrij normaal om patat te eten, maar dat hij met zijn vader bij mij aan tafel zat, vond hij wel erg vreemd. En zijn vader wist zich ook geen houding te geven. Precies toen we klaar waren, ging de telefoon. Het ziekenhuis. Ze kon gehaald worden. Ik zei dat ze maar een taxi moesten nemen, op mijn kosten. Ik was veel te bang dat hij haar weer in elkaar zou slaan als hij haar zag. Een kwartier later werd ze hier voor de deur afgezet. Grote pleister op de neus, pols in het gips. Die was gebroken! En haar man schaamde zich. Hij deed poeslief en bood zijn excuses aan. Weet je wat Annet zei? 'Ik ga alleen met je mee naar huis als je belooft ook naar het maatschappelijk werk te gaan.' Ze hadden in het ziekenhuis natuurlijk goed op haar ingepraat. Hij beloofde het meteen en toen was ik zo vrij om te zeggen dat ik hem eraan hield en als hij het niet deed, zou ik alsnog de kinderbescherming bellen en waren ze Tobias kwijt.' Ze keek Marijke triomfantelijk aan.

'Poeh, hé, wat een verhaal, mevrouw Tuinstra. U maakt nogal wat mee, hier.'

De oude vrouw schoot in de lach. 'Ja, ik leid een erg spannend leven zo op mijn oude dag.'

'En nu? Hoe is het nu?' vroeg Marijke.

'Ze zijn vorige week inderdaad samen geweest. Wat er allemaal besproken is en afgesproken is, weet ik niet en dat gaat me ook niets aan, maar ze zijn wel geweest en hij is echt veranderd. Als hij thuiskomt, steekt hij tegenwoordig zijn hand naar me op. Annet komt hier geregeld. Ze vertelde dat haar man wel snapte dat je je vrouw niet mocht slaan, maar hij wist niets anders te bedenken. Ze schaamde zich ervoor dat ze dat zei, maar zei verontschuldigend dat ze nu eenmaal zo waren opgegroeid. Tobias is gisteren weer naar de speelzaal geweest. Het bleek dat ze hem de vorige keer niet wilden hebben omdat hij een paar kinderen geslagen had. Dat deed hij deze keer niet. Het lijkt allemaal toch nog goed te komen.'

'U hebt de vicieuze cirkel doorbroken. Ze kwamen er zelf niet meer uit. Echt geweldig van u, hoor.' Marijke kwam overeind. 'Maar u moet ze natuurlijk wel in de gaten blijven houden. Het is heel gemakkelijk om weer terug te vallen in hun oude patroon.'

'Dat doe ik ook, dat doe ik ook. Zuster, hoe was uw vakantie?'

'Ha, mooi, maar lang zo spannend niet. Mevrouw Tuinstra, ik moet er weer vandoor. Tot volgende week.'

'Nee, wacht. Ik wilde nog wat vragen.'

'O?'

'Wilt u alstublieft een paar kleine cadeautjes voor Tobias kopen voor sinterklaas? En wat snoepgoed? Ik kan zijn moeder niet vragen, want dan is het geen verrassing meer, en ik vind het ook vreemd om het te vragen aan die dame die altijd mijn boodschappen doet. Ze weet niets van het verhaal. Ik heb het alleen aan u verteld.'

'Dat is goed,' zei Marijke. 'Ik moet ook voor mijn eigen kleinkinderen wat kopen. Hoeveel mag het totaal kosten?'

'Wat vindt u normaal?'

'Ik ben ouderwets. Ik vind kleinigheidjes goed genoeg, maar de meeste kinderen krijgen heel dure dingen. Er wordt vreselijk veel geld uitgegeven, maar daar voel ik niets voor.'

'Als ik u vijfentwintig euro geef, kunt u daar dan wat voor kopen?'

'Dat lukt zeker wel. Minder mag ook, hoor.'

'Nee, nee, vijfentwintig kan ik wel missen. En graag meerdere pakjes, dat vind ik leuker dan één groot pak. En ook iets te snoepen, hoor. Chocoladesigaretjes bijvoorbeeld.'

'Die bestaan volgens mij niet meer.'

'Nee?'

'Nee, sinds het rookverbod zijn volgens mij de chocoladesigaretjes ook uit de handel genomen.'

'Ze moeten het niet gekker maken,' vond mevrouw Tuinstra. 'Wat is nou sinterklaasfeest zónder chocoladesigaretjes?'

Marijke lachte en pakte het geld aan. 'Nu moet ik echt rennen,' zei ze en voegde de daad bij het woord.

Samen met Johan liep Marijke de week erop op koopavond door de stad op zoek naar pakjes voor hun kleinkinderen en voor Tobias. Ze hadden lootjes getrokken en traditiegetrouw vertelden zelfs Marijke en Johan elkaar niet wiens naam erop gestaan had, maar het was ook traditie dat opa en oma altijd een kleinigheid extra kochten voor hun kleinkinderen. 'Jij wilt zeker een voetbal voor Jorm?' vroeg ze hem met een grijns.

'Natuurlijk niet, die kreeg hij al voor zijn eerste verjaardag en tweede en eh…' Johan lachte. 'Maar misschien is het wel wat voor die Tobias. Zou die een bal hebben?'

'Dat is dus een probleem. Ik heb geen enkel idee wat hij heeft, maar een bal heeft toch haast wel iedere jongen?'

'Dat denk ik wel, ja. Je hebt gelijk. We moeten wat anders bedenken. Ik vind het altijd zo moeilijk. Kunnen we het niet afschaffen?'

'Dat meen je niet,' riep Marijke uit. 'Ik vind het het mooiste feest van het jaar. Althans, als de kinderen nog zo klein zijn. Die

verwachtingsvolle snoetjes. Nee, dat kun je niet menen.'
Johan sloeg liefdevol een arm om haar heen en kuste haar op haar
mond. 'Dat is zo, maar dat zoeken en uitkiezen en bedenken. Dat
vind ik niet leuk.'
'Oké, dan koop ik de pakjes en pak jij ze in, al of niet voorzien
van een gedichtje.'
'Meen je dat?'
'Ja,' zei ze lachend. 'Ik winkel liever dan dat ik thuis zit te fröbe-
len.'
'Mooi, dan zijn we klaar. Kom, we gaan koffie drinken. Of wil je
warme chocola?'
'Wat? We hebben nog niets gekocht!'
'Nee, maar ik kap ermee. Ik ga ook niets kopen.'
'Johan, en ik dan? Dan ben ik helemaal voor niets naar de stad
gereden. Weet je wat? Jij gaat zelf maar wat drinken, dan ren ik
ondertussen een paar winkels in. Binnen een uur ben ik terug.'
Ze hield zich aan haar woord. Precies 55 minuten later kwam ze
het café binnen, beladen met tassen met cadeautjes.
'Hoe heb je dat zo snel voor elkaar gekregen?' Johan keek haar
met grote ogen aan.
'Dit is dus iets wat ik veel beter zonder jou kan. Soms heb ik toch
wel last van je.'
'Wil je nog koffie?'
'Nee, ik wil naar huis, dan kan jij beginnen met inpakken.'
'Vanavond al? Ik heb toch tot 5 december de tijd? Heb je ook wat
voor Tobias?'
'Ja, vier dingetjes, ik laat het je straks wel zien. En snoepgoed.
Ook een chocoladeletter T.'

Mevrouw Tuinstra was de week erop bijzonder blij met de pakjes
en het snoepgoed. 'Chocolademunten is ook goed,' zei ze opgetogen. 'O, ik verheug me er zo op om het hem te geven. Viert u
ook sinterklaas?'
'Ja hoor, met alles erop en eraan. Gedichtjes voor de volwassenen

en surprises of plagerijtjes. Viert u het niet met uw kinderen?'
'Nee, daar zijn we jaren geleden mee opgehouden. Het jongste kleinkind is ook alweer tegen de dertig en die hebben allemaal allang hun eigen gezin.' Marijke knikte, maar schaamde zich opeens. Ze vond het sneu voor mevrouw Tuinstra, maar hoe zat het met haar eigen ouders? Die vroeg ze immers ook niet. Nee, ze vroeg haar kinderen, Karin en Tim, met hun gezinnen. Niet haar eigen ouders. Tja, als die haar, Marijke, moesten vragen met aanhang en ook nog Marijkes broer en zus met aanhang, dan was het natuurlijk niet te overzien, maar nu was de kans groot dat de beide mensen helemaal alleen zaten, terwijl zij, Marijke dus, het huis vol mensen had. Hier moest ze straks nog even over nadenken. Ergens had ze het gevoel dat er iets niet klopte.

'Hallo, waar bent u met uw gedachten?'
Marijke keek geschrokken op. 'O, neem me niet kwalijk. Dus u bent wel tevreden met de pakjes voor Tobias?'
'Het klinkt in elk geval prachtig. Een grote auto, een puzzel voor kleine kinderen, een bellenblaas en wat zei u nog meer?'
Marijke moest even nadenken. Ze had zoveel dingetjes gekocht, dat ze het ook niet meer precies wist. 'O ja, een kleurboek met kleurpotloden. Ik heb maar geen stiften gedaan, want als dat in de bekleding van een bank of stoel komt, krijgt Annet het er nooit meer uit. Ik weet niet hoe wild hij thuis is. En natuurlijk is dat bellenblaasding voor buiten bedoeld, dat moet u er wel bij zeggen.'
'Zuster, ik heb ook kleine kinderen gehad.'
Marijke knikte. 'Ik had nog vier euro over.' Ze haalde ze uit de zak van haar colbertje.
'Hou die maar, voor de benzine.'
'O, dank u.'
'Nee, jij bedankt. Ik vind het zo geweldig dat ik iets voor hem heb. Zelfs al zouden zijn ouders ook sinterklaas met hem vieren, dan nog is het leuk om wat extra te krijgen, nietwaar?'
'Zo is dat.'
Marijke nam afscheid en reed naar de volgende patiënt. Onderwijl

dacht ze aan haar ouders. Hoe was het toch gekomen dat zij nooit meer sinterklaas met hen vierden? In het begin van haar huwelijk en ook na de geboorte van Tim en Karin waren ze wel bij hen thuis geweest. Maar misschien werd het te druk? Want ook haar broer en zus trouwden en kregen kinderen. Of had Johans moeder geklaagd dat ze nooit daar kwamen met sinterklaas? Zoiets kon het eigenlijk wel zijn, ja. Hadden ze het toen om en om gedaan? Het ene jaar bij haar ouders en het andere bij die van Johan? Als ze goed nadacht, herinnerde ze zich inderdaad dat ze sinterklaas ook bij haar schoonouders gevierd hadden, maar ze herinnerde zich nu ook dat ze zelf op een keer geprotesteerd had. 'Ik wil sinterklaas in mijn eigen huis vieren,' had ze tegen Johan gezegd. 'Ik wil niet altijd weggaan. Ik wil het hier vieren.' Johan had daar alle begrip voor gehad. Het was immers een gezinsfeest. Wel hadden ze hun respectievelijke ouders bij hen thuis gevraagd. Marijke wist nu weer dat haar schoonouders inderdaad gekomen waren, maar die hadden geen andere kinderen dan Johan en dus ook geen andere kleinkinderen. Haar eigen ouders gingen vanaf dat moment het ene jaar naar Marijke en het andere naar Marijkes broer of zus en op een gegeven moment waren alle kleinkinderen zo groot geworden, dat die soms zelf niet meer thuis waren.

Marijke sloeg van de snelweg af, op zoek naar het adres van de volgende patiënt, maar grinnikte inwendig. Dat was een rare avond geweest. Haar ouders waren keurig volgens afspraak om halfvijf gekomen, omdat ze eerst samen zouden eten, maar van Tim was geen spoor te zien. Die vond het belachelijk om sinterklaas te vieren met zijn ouders en grootouders. Hij woonde toen op kamers in Groningen en vierde het feest liever in een kroeg met zijn studiegenoten.

Dat was de laatste keer geweest dat ze gezamenlijk sinterklaas vierden. Tot Tim en Lucy zes jaar geleden hun eerste kindje kregen. Al was Jorm nog een baby die nergens iets van begreep, Marijke had hen toch uitgenodigd sinterklaas bij hen te komen vieren. Tim had dat onzin gevonden, maar een jaar later was hij erop teruggekomen. Ivo was inmiddels ook geboren en het leek hem toch wel leuk. Natuurlijk vroegen ze Karin ook, maar die had destijds geen zin in zo'n familiefeest. Echter na de geboorte van Jolien en Sterre had ze opgebeld om te vragen of ze ook mee mocht doen. Dit zou de derde keer zijn dat ze sinterklaas met zijn allen zouden vieren. Alleen zonder grootouders, terwijl die zo dichtbij woonden. Moest ze haar ouders alsnog uitnodigen? Wat zouden Tim en Karin daarvan vinden?

Ze parkeerde voor het huis waar ze moest zijn en vreemd genoeg wist ze opeens helder en duidelijk dat ze haar ouders níét uit zou nodigen. Het was háár gezinsfeest. Van Johan en haar, samen met hun kinderen. Ze wist tegelijk ook dat ze wél voor een cadeautje voor haar ouders zou zorgen.

'Zuster, u bent laat.'

'Neem me niet kwalijk, mevrouw,' zei Marijke, 'maar het is druk vandaag.'

'Maar ik had een afspraak. Ik zou opgehaald worden en het meisje kwam dus voor niets, want ik kon niet weg.'

'Een afspraak?'

'Ja, we gaan met de buurtvereniging cadeautjes inpakken voor sinterklaas en ik zou helpen. Ik heb tijdelijk een rolstoel te leen en als ze me dan duwen, kan ik best ergens naartoe, en aan mijn handen mankeert niets.'

'Het spijt me, maar u weet dat ik nooit exact kan zeggen hoe laat ik kom,' zei Marijke, terwijl ze de stuwband aantrok om zo snel mogelijk bloed te kunnen afnemen.

'Jullie denken blijkbaar dat je de hele dag achter de geraniums niks zit te doen als je niet in staat bent naar een prikpost te gaan, maar zo is dat niet. Ik heb ook mijn afspraken en dingen die ik doe en bij wil houden en als u dan zo laat komt, loopt hier alles in de soep en dat vind ik niet prettig, zuster.'

Marijke beet zich op de lippen om niet meteen iets lelijks terug te zeggen. Toch kon ze het niet laten. 'Ik ben blij dat u zo actief bent, maar als u het vervelend vindt dat wij van het bloedafnamelaboratorium u thuis bezoeken, dan kom ik toch niet weer? De dichtstbijzijnde prikpost is hier zo'n tien kilometer vandaan. Dat is zelfs met een rolstoel te doen.' Ze wendde haar gezicht af terwijl ze het buisje bloed en de spuit in haar koffertje opborg, zodat de vrouw niet zag dat ze moest lachen.

'Hallo, zeg. Wat is dat voor een belachelijke opmerking.'

'Mevrouw, ik kom maar een keer in de week en u weet precies of ik voor of na twaalf uur kom en daar heb ik me keurig aan gehouden. Als u op die ene morgen of middag een afspraak maakt, ligt het aan uzelf als de afspraak niet door kan gaan. Nou, wat doen we? Schrap ik u van het lijstje of zal ik volgende week toch weer komen?'

'Dat had u gedacht. Natuurlijk komt u volgende week weer. Dat is uw werk. Zo gemakkelijk laat ik u niet uw geld verdienen.'

'Goed, hoor. Zelfde dag, zelfde tijd, dus 's morgens voor twaalf uur. Tot dan.'

'Een excuus kan er niet eens vanaf, begrijp ik?'

'Excuus voor de volgende patiënt dat ik daar nu nog later aankom door dit gesprek?' Marijke knikte en verliet het huis zonder nog iets te zeggen. Maar in de auto moest ze toch lachen. Ze zat niet te wachten op dit soort patiënten, maar ze kon er heel goed tegen.

HOOFDSTUK 11

'Ik geloof dat ik nu alles rond heb,' zei Marijke met een tevreden zucht. Ze schoof haar notitieblokje opzij en reikte naar de telefoon. 'Het enige wat ik nog moet weten, is of Jolien en Sterre ook erwtensoep eten, anders moet ik voor hen iets anders bedenken.'
Johan keek op van de krant. Hij vouwde hem dubbel en stond op.
'Dan ben je verder dan ik. Ik verdwijn nog even naar boven om wat pakjes te maken. Heb je je cadeau voor degene die je getrokken hebt ook al af?'
Marijke glimlachte. 'Geen commentaar.'
'Ha, ik weet allang dat je mij getrokken hebt.' Johan grijnsde en liep opgewekt de kamer uit.
Marijke keek op haar horloge en toetste vervolgens Karins nummer in. Het duurde even voor er opgenomen werd.
'Ja?' zei een gejaagde stem.
'Karin, met mamma. Ik wil even iets vragen.'
'Op dit moment? Je weet toch dat de kinderen nu naar bed gaan?'
Marijke schrok van de kille stem. 'Klopt, daarom bel ik ook juist nu. Ik wil ze graag even welterusten zeggen.'
'Ik bel je later op de avond wel terug.'
'Nee, Karin, ik wil ze zo graag even spreken. Ze kunnen toch wel aan de telefoon komen?'
'Hou je op!' riep Karin geïrriteerd, maar Marijke wist dat het niet tegen haar was. Het volgende echter wel. 'Mam, tot later.'
Voor Marijke nog iets kon zeggen, verbrak Karin de verbinding en bleef Marijke beduusd met de hoorn in haar hand zitten. Oké, het was misschien stom om juist nu te bellen, maar ze had ook niet willen storen tijdens Sesamstraat of tijdens het eten of tijdens het douchen. Dat was echter niet waar ze zo beduusd van was. Ze wist bijna zeker dat ze Sterre op de achtergrond had horen krijsen, nadat Karin 'hou je op' had geschreeuwd. Had Karin haar een pets verkocht? Ze voelde haar hart sneller slaan. Van de rustige, kalme Karin die ze geweest was na Terschelling en ook nog

vorige week, toen Marijke en Johan weer een avond hadden opgepast, leek vanavond niets meer over. Marijke voelde dat ze zich opeens weer enorme zorgen maakte. Ze keek weer op haar horloge en besloot een uur te wachten. Als ze dan niet teruggebeld had, zou zij weer bellen.

Ze legde de telefoon neer. Tot haar schrik begon die meteen te rinkelen. Ze greep hem weer beet. 'Karin?' vroeg ze.

'Nee, Edith. Ook goed?' hoorde ze een opgewekte stem.

'Ja, natuurlijk. Leuk dat je belt.'

'Maar je verwacht eigenlijk een ander telefoontje?'

'Klopt, maar nu nog niet. Dat zal nog wel een halfuurtje duren. Hoe is het met je?'

'Goed. Prima zelfs. Is Johan er ook?'

Marijke trok haar wenkbrauwen op. Johan? 'Ja, maar hij is boven. Moet ik hem voor je roepen?'

'Tja… ik wilde hem iets vragen. Hij is altijd zo goed in sinterklaasgedichten maken en ik kan dat écht niet. Zou hij niet… Tja, niet lachen, hoor, maar ik had zin om een mooi cadeau voor Richard te maken en bij een mooi cadeau hoort een gedicht, vind ik.'

'Aha, Richard,' lachte Marijke. 'Dus het is nog dik aan.'

'Hahaha, alsof je dat niet wist.'

Marijke knikte. Natuurlijk wist ze dat. Edith vertelde haar minstens drie keer per week over hem. Hij was al een paar keer bij haar geweest sinds hij terug was van zijn vakantie op de Canarische Eilanden. Hij woonde in Assen en dat was slechts drie kwartier rijden. Ook door de week 's avonds was dat prima te doen. Ze waren al uit geweest naar de film, waren samen wezen eten, ze was ook al bij hem thuis geweest. En elke dag belden ze elkaar voor het slapengaan. Ja, het was zeker dik aan en Marijke genoot er heel erg van om haar vriendin zo te horen. Vaak kon ze haar door de telefoon heen horen blozen. 'Ik zal Johan de telefoon even brengen, dan kunnen jullie boven ongestoord praten, want als hij een gedicht moet maken, moet hij natuurlijk wel iets over

Richard weten en dat moet je hem zelf maar vertellen.'

'Denk je dat hij het wil doen?' vroeg ze met een gespannen klank in haar stem.

'Vast wel, maar het is al 2 december, dus veel tijd heeft hij niet meer.'

'Sorry, maar ik heb het echt zelf geprobeerd. Minstens dertig gedichten ben ik al begonnen en ik heb ze allemaal weggegooid.' Ze zuchtte. 'Echt, ik wilde het heel graag zelf doen, maar ik kom toch niet verder dan: Sinterklaas heeft lang lopen denken, wat hij jou dit jaar zou schenken, en dat vind ik echt zo stom. Zo begint haast elk gedicht. Behalve dan die van Johan.'

Marijke was ondertussen naar boven gelopen. Ze klopte op de gesloten logeerkamerdeur en wachtte tot ze Johan 'ja' hoorde roepen, maar ze hoorde niets en klopte nog een keer. Opeens ging de deur op een kiertje open. 'Wat is er?'

'Edith is aan de telefoon. Ze wil jou spreken.'

'Mij? Nou, geef maar dan.' De deur ging niet verder open en Marijke drukte de telefoon door de kier. Meteen ging de deur weer dicht. Ze keek er wat verward naar, maar begreep het opeens. Johan had haar lootje getrokken en was juist op dit moment bezig iets voor haar in te pakken en dat mocht ze niet zien. Logisch, toch. Ach, wat leuk. Dat juist hij haar had getrokken. Zelf had ze Lucy getrokken, maar ze had ook voor Johan een kleinigheidje gekocht. Het stelde niet veel voor, maar ze had het toch niet kunnen laten liggen. Het was een stuk zeep in de vorm van een hart en met veel moeite had ze er een plagerig rijmpje bij gemaakt dat hij nu wel verplicht was een aantal weken tijdens het wassen aan haar te denken.

Glimlachend liep ze weer naar beneden en bekeek nog eens haar aantekeningen. Alle pakjes waren gekocht. Haar eigen pakje voor Lucy was klaar en voorzien van een surprise. Het boodschappenlijstje was compleet, zodat ze vrijdag, als ze vrij was, de juiste boodschappen kon doen en de erwtensoep vast kon maken, want erwtensoep was nu eenmaal lekkerder als je die een dag van tevoren maakte. Bij de koffie of de warme chocolademelk zouden ze banketstaaf en gevulde speculaas krijgen, voor de kinderen had ze strooigoed op het lijstje gezet. Wat extra bier en wijn moest ze ook nog kopen, al zouden ze niet echt veel drinken. Grote drinkers waren het gelukkig niet en degenen die terug zouden rijden, zouden helemaal niets drinken. Zo dachten Karin en Steven erover, maar ook Tim en Lucy.

Marijke liep nadenkend naar de keuken om koffie te zetten. Hoe moest ze dat nu met haar ouders doen? Het leukst was het als ze het pakje ook op 5 december kregen, maar zelf kon ze natuurlijk niet weg als ze het hele huis vol kinderen en kleinkinderen had. Wacht, ze kon het pakje 's middags al brengen natuurlijk. Opeens moest ze grinniken. Ze hadden de grijze container naast het huis staan. Daar kon ze het pakje ongezien in stoppen. Op zaterdag werd die nooit geleegd, dus ze liep geen enkel risico. En dan kon ze 's avonds, rond een uur of acht of zo, naar hen bellen, of laten bellen met een donkere mannenstem, dat ze even in hun container moesten kijken. Ja, dat was best een grappig idee.

O, daar zul je Karin hebben, dacht ze, bij het horen van de telefoon. Ze liep haastig naar de kamer, waar ze tot de ontdekking kwam dat de telefoon natuurlijk nog boven bij Johan was. Ze liep de trap op om al snel te merken dat ze gelijk had. Johan opende de logeerkamerdeur en opende zijn mond om haar te roepen. Ze zag hem schrikken van haar onverwachte verschijning.

'Het is Karin,' zei ze verontschuldigend. 'Die zou zo terugbellen.'

'O.' Hij stak haar de telefoon toe en wilde de deur weer dichttrekken.

'Ik heb koffiegezet.'

'Lekker, ik kom zo.'

'Hallo Karin, liggen ze erin?' begon Marijke opgewekt, terwijl ze de trap af liep.

'Ja, wat moest je nou?'

'Karin!'

'Mamma, ik heb nog veel te doen. Steven is naar een driedaagse

cursus, ik moet alles alleen doen. Waarom belde je?'
'Was dat Sterre die huilde?' Marijke kon de vraag niet langer voor zich houden.
'Hoe bedoel je?'
'Ik dacht dat ik haar hoorde huilen toen ik zonet belde.'
'Dat weet ik niet meer, hoor. Mamma, toe, zeg nou wat er is, dan kan ik weer verder.'
'Wat moet je allemaal nog doen dan? Karin, wat is er met je?'
'Er is niets, ik ben alleen druk. De tafel is nog niet afgeruimd, de afwasmachine staat nog niet aan. Ik moet minstens twee wassen draaien en ook nog wat overhemden van Steven strijken. Dus alsjeblieft, hou het kort.'
'Oké. Lusten Jolien en Sterre wel erwtensoep?'
'Belde je daarvoor?' riep Karin uit.
'Ja, er zijn genoeg kinderen die er niet van houden en ik zou het jammer vinden als ze iets moeten eten wat ze niet lusten op sinterklaasavond.'
'Onzin, ze moeten eten wat de pot schaft. Daar worden ze alleen maar flink van.'
'Maar als ze het niet lusten. Sinterklaasavond moet een leuke avond worden.'
'Je hebt mijn antwoord gehoord. Nou, tot zaterdag. We zijn er rond vier uur. Nu ga ik hier aan de slag.' Alweer verbrak Karin de verbinding zonder op een reactie van Marijke te wachten.
Marijke voelde zich opeens zo terneergeslagen dat ze niet eens opstond om koffie voor zichzelf in te schenken. Ook toen ze hoorde dat Johan in de keuken was, kwam ze niet overeind. Ze had het dus goed gehoord. Sterre had gekrijst en vermoedelijk omdat Karin haar pijn gedaan had. Wat moest ze hier nu mee aan? Het hele sinterklaasfeest kon haar opeens gestolen worden. Hoe kon ze nog leuk en gezellig doen, terwijl ze vermoedde, of nee, eigenlijk wist, dat Karin veel te hardhandig en kortaf was tegen haar kinderen?
Johan kwam de kamer in. 'Hoef jij geen koffie?' Maar toen hij

haar gezicht zag, schrok hij. 'Is er iets met Karin?'

'Nee, er is niets,' loog ze, want ze wist wat zijn reactie zou zijn. Het ging haar niets aan hoe Karin deed, dat waren haar zaken niet en dus hoefde ze er ook niet over te piekeren. 'Ik ben moe, dat is alles.'

'O?'

Marijke wist dat dat een domme leugen was, want ze was zelden moe en nu maakte hij zich misschien zorgen om haar, terwijl er niets aan de hand was. Ze stond op en keek naar hem. 'Een kop koffie zal me goeddoen.'

'Oké. Ik wilde nog even naar boven gaan. Het is iets meer werk dan ik dacht.'

'Dat is goed, jongen.' Ze keek hem na. De man van wie ze haar hele leven al hield en van wie ze nog steeds hield. De man die ze voor niets of niemand zou willen ruilen en met wie ze heel erg oud wilde worden. Voor zover ze het zich kon herinneren, had er nooit iets tussen hen in gestaan wat ze niet uit hadden kunnen praten, maar nu had ze tegen hem gelogen, omdat ze niet wilde vertellen wat ze over Karin dacht. Ze rilde. Een barstje in hun huwelijk? Dat kon en mocht niet waar zijn. Ze wist best dat moeders zich sneller zorgen maakten dan vaders, maar ondanks dat had hij altijd haar zorgen gedeeld. Misschien deed hij dat nu ook wel, alleen had hij haar in dit geval zowat verboden er iets tegen te doen. En Marijke wilde maar één ding: er wel over praten met Karin. En tegen Johans wens in besloot ze dat ze dat zo snel mogelijk zou doen.

Natuurlijk was sinterklaasavond daar geen geschikte gelegenheid voor. Het was een drukte van belang in huis met Tim en Lucy, Jorm en Yvo, met Karin en Steven, Jolien en Sterre. Vooral de kinderen waren erg druk, omdat ze allemaal in Sinterklaas geloofden en van de zenuwen veel te luidruchtig waren.

'Wanneer komt hij nou?' vroeg Jolien.

'Hij was gisteren bij ons op school,' vertelden Yvo en Jorm, die daar haast niet over uitgesproken raakten. 'En hij had pakjes bij zich en drie pieten en die strooiden overal pepernoten in de klas!' Marijke hoorde het allemaal lachend aan, toch was ze voortdurend met haar gedachten bij Karin en ze bekeek haar onderzoekend als ze in haar buurt was. Karin deed opgewekt en bood aan te helpen.

Nadat iedereen van koffie en lekkers voorzien was, liep Marijke terug naar de keuken. 'Nog even in de soep roeren,' zei ze, maar daar ging het niet om. Ze was Sterre kwijt en begreep niet waar het meisje kon zijn. Ze had net nog zo staan lachen samen met Yvo en nu was ze onder geen stoel of tafel te bekennen. Via de keuken liep Marijke naar de gang en daar zag ze haar. Bijna op de bovenste tree van de trap. Marijke zei niets, omdat ze haar niet aan het schrikken wilde maken, maar ze haastte zich naar boven. Ze pakte haar beet en noemde haar naam. 'Sterre, wat is er? Wat doe je hier?'

Sterre begon spontaan te huilen. Marijke tilde haar op en drukte haar tegen zich aan. Toen voelde ze het. Haar maillot was nat. 'Heb je in je broek geplast?'

Sterre begon nog harder te snikken.

'Maar dat geeft toch niet?' Dat kan gebeuren, dacht ze, op sinterklaasavond, als je bang en gespannen bent en nog maar twee. Ze knikte hard met haar hoofd.

'Nee hoor, dat geeft niets. Kom, we gaan even naar de badkamer.' Daar zakte ze door haar knieën en trok haar de schoentjes uit. Vervolgens de maillot. Ze had weliswaar geen schone kleren voor haar, maar een paar minuten in de droogtrommel was misschien genoeg. Ze tilde het rokje hoger om ook het onderbroekje uit te trekken, toen zag ze de grote blauwe plek op het dijbeen van Sterre. 'Wat is dat?' vroeg Marijke. 'Ben je gevallen?'

Sterre barstte opeens weer in tranen uit en greep haar maillot beet. 'Geef die nou maar aan mij, Sterre. Ik zal hem even wassen en drogen, dan ben je straks weer helemaal klaar.' Marijke begon aan haar broekje te trekken, maar het was duidelijk dat Sterre pijn had aan de blauwe plek. Marijke bekeek de plek. Hij zat er al een paar dagen, aan de kleuren te zien. 'Hoe kom je daar toch aan? Ben je ergens tegenaan gelopen?'

Sterre zei niets. Marijke liet het maar zo. Spoelde snel het broekje en de maillot met een beetje zeepsop schoon, kneep ze zo goed mogelijk uit en stopte ze in de droogtrommel.

'Passe,' zei Sterre.

'Moet je plassen?' Marijke tilde haar snel op en zette haar op de wc, hield haar stevig vast zodat ze er niet in kon zakken.

'Nee, nee, niet passe.'

'Niet?' Ze begreep er niets van, maar zette haar weer op de vloer.

'Mamma passe boos.'

'Sterre, praat eens duidelijk. Dat kun je allang. Dit kan oma niet volgen. Wat is er?'

Maar Sterre zweeg.

'Marijke? Ben je boven?' riep Johan van beneden.

'Ja, ik kom zo.'

'Is Sterre bij je?'

'Inderdaad, die is hier. We komen zo.'

'Is er wat?'

'Nee, ze moest plassen en zit nu op de wc.'

'Boven?'

'Ja. Boven.' Marijke was niet van plan de waarheid door het huis te schreeuwen.

'Oké, tot zo. Zal ik nog even in de soep roeren?'

'Heel graag, ja!' Ze glimlachte om hem. Lief dat hij daaraan dacht. 'Nou Sterre, vertel. Wat is er?'

Weer begon het meisje te huilen. Ze trok haar rokje omhoog en keek zelf naar de plek. 'Mamma boos,' zei ze. 'Serre mag niet in de boek passe.'

Toen drong het tot Marijke door. Ze voelde zich witheet worden van woede, haar hart ging als een wilde tekeer. 'Heeft mamma jou geslagen omdat je in je broek geplast hebt?'

Sterre zuchtte diep. 'Gekepe.'

'Geknepen?'

Sterre knikte en drukte haar snoetje tegen haar oma's broek aan. Marijke streelde het hoofdje en drukte het harder tegen zich aan. Had Karin haar zo hard in het beentje geknepen dat er zo'n grote blauwe plek was ontstaan? Dit ging mijlen te ver. Marijke kreeg enorme spijt dat ze er niet meteen die eerste keer wat van gezegd had bij het tandenpoetsen. Heel misschien was dit dan te voorkomen geweest. Hoe dan ook, ze zou er zo snel mogelijk iets van zeggen. Ze kon dit feest niet verpesten omdat ook Tim met zijn gezin speciaal ervoor gekomen was, maar dit mocht geen dag langer duren.

De hele avond bekeek ze Karin met argusogen en had Marijke er moeite mee zich ongedwongen en vrolijk te gedragen. Zodra ze weg waren en Johan en zij bezig waren de afwasmachine te vullen, vroeg ze hem: 'Vond je Karin ook zo kortaf?' Ze moest gewoon weten wat hij ervan vond.

'Helaas wel, ja,' zei hij tot haar grote opluchting. 'Ze hield de kinderen wel erg in de gaten. Alsof ze voortdurend bang was dat ze iets verkeerd zouden doen. Jammer, want het was juist hún feest. Zíj moesten genieten.'

'Ik ben blij dat het je ook opgevallen is. Ik had echt medelijden met de kinderen.'

'Misschien hadden ze het wel nodig. We weten immers niet wat er thuis is voorgevallen. Karin zal wel een reden gehad hebben om hen kort te houden.'

'Sterre had een grote blauwe plek op haar dijbeen.'

'Dat lijkt me niet meer dan normaal. Onze kinderen zaten ook altijd onder de blauwe plekken.'

'Tim, ja. Die altijd achter de bal aanrende of tijdens voetballen geschopt werd. Karin had nooit blauwe plekken.' Ze haalde diep adem, en besloot het te zeggen. 'Sterre zei dat Karin dat gedaan had omdat ze in haar broek geplast had.'

Johan vertrok zijn gezicht. 'Kinderen? Het is wat. Hoe kleiner ze zijn, hoe groter hun fantasie. Hoe komt ze erbij om zoiets te zeggen?'

'Misschien omdat het waar is,' zei Marijke zacht.

'Dat geloof je toch zeker zelf niet? Onze dochter doet haar kinderen geen pijn.'

'Je kent het gezegde: kinderen en gekken vertellen de waarheid.'

'Dat is onzin. Je weet net zo goed als ik dat kinderen heel goed zijn in liegen.'

'Sterre was bang. Ze had van de zenuwen in haar broek geplast hier en ze ging zich verstoppen. Ik zag haar nog net. Boven aan de trap. Ze was bang voor Karin.'

'Marijke, dat kán en wíl ik niet geloven.'

'Ik moet het wel geloven.'

Opeens drong het tot Johan door waar Marijke op uit was. Hij kwam overeind van de afwasmachine, had nog een bord in zijn handen, maar rechtte zijn rug en keek haar aan. 'Je gaat hier níét met haar over praten. Het zijn háár zaken hoe ze haar kinderen opvoedt. Dat hoef ik toch niet weer te herhalen?'

Ze keek hem een poosje zwijgend aan en haalde toen haar schouders op. 'Johan, tot nu toe konden we altijd overal over praten en we lieten elkaar ook vrij in onze eigen meningen. Je kunt me niet ergens toe verplichten. Bovendien begrijp ik niet waarom je daar zo fel over moet doen. Is het zo raar dan dat ik mijn zorgen zou uitspreken naar Karin toe?'

Ook hij keek haar een poos in alle stilte aan. 'Je hebt gelijk. Sorry. Natuurlijk kan ik je niet iets verbieden. Dat had ik ook niet mogen zeggen. Ik vind alleen dat het geen pas geeft ons met de opvoeding van onze dochter te bemoeien. Wij hebben het op onze manier gedaan, zij doet het op de hare.'

'Maar waarom dan niet, Johan? Ik begrijp het niet.'

'Ik kan het ook niet uitleggen. Ik stel me alleen voor dat onze ouders zich met ons hadden bemoeid. Dat hadden wij ook niet geaccepteerd.'

Marijke knikte. Daar had hij misschien wel gelijk in, maar zij hadden hun kinderen nooit pijn gedaan of hardhandig beetgepakt. Goed, ze waren weleens uitgeschoten. Natuurlijk, het was niet altijd makkelijk om kinderen groot te brengen en ze konden het bloed onder je nagels vandaan halen, maar toch was dat anders dan zoals Karin nu bezig was. Jolien en Sterre hadden geen seconde genoten van het mooie feest. Telkens als ze begonnen te stralen om de inhoud van een cadeautje, waren ze meteen weer in elkaar gekrompen. Volgens Marijke van angst, angst voor Karin. Tot haar intense spijt voelde ze dat ze dit onderwerp niet meer ter sprake moest brengen bij Johan. Voor het eerst van hun leven stond er iets tussen hen in. Maar haar besluit stond ondanks dat vast. Ze pakte een vaatdoek en liep ermee naar de kamer om de tafel af te nemen en herinnerde zich opeens dat Steven altijd op maandagavond naar de sportschool was. Een uitermate geschikte avond dus om even onder vier ogen met Karin te praten.

HOOFDSTUK 12

Marijke was met opzet niet al te vroeg van huis gegaan. Ze had zelfs eerst nog een kopje koffie met Johan gedronken en over haar ouders verteld, waar ze 's morgens even langs geweest was. Die hadden zo blij verrast gereageerd op de doos in de container. 'Maar,' zei haar moeder glunderend, 'we hadden hem al uren voordat Sinterklaas belde gevonden. Vader wilde even wat weggooien en keek verbaasd naar de grote doos. Wij doen nooit dozen in de container. Die vullen we altijd met oud papier voor de muziekvereniging. Dus hij haalde hem eruit om mij te vragen wat er de bedoeling van was. Ik wist natuurlijk nergens van, dus hebben we hem voorzichtig opengemaakt. Wat moesten we lachen! Er zaten pakjes in met onze namen erop. We begrepen alleen niet hoe we die ooit hadden moeten vinden. Soms gooien we dagenlang niets in de container. Tot er om acht uur gebeld werd. Ha, wat hebben we een plezier gehad.' Moeder grijnsde van oor tot oor bij haar verhaal. 'De banketstaaf was heerlijk en het was jaren geleden dat ik iets van marsepein gehad had, terwijl ik dat zo lekker vind. Maar ja, voor jezelf koop je niets met sinterklaas en in vader kwam het nooit op. De kaarsen zijn prachtig en in de boeken zijn we al aan het lezen. Sinterklaas kent duidelijk onze smaak, want het zijn mooie boeken.'

Nu was het maandagavond, bijna acht uur. Jolien en Sterre moesten allang in bed liggen en dat was ook Marijkes bedoeling. Ze wilde beslist voorkomen dat ze hun bedritueel zou verstoren en dat Karin daardoor al boos op haar was. Nu zat ze misschien aan de koffie. Marijke voelde dat ze zenuwachtig was. Ze had tegen Johan gezegd dat ze naar Edith was, en daar was niets aan gelogen, want van Karin ging ze ook naar Edith toe, maar ze vond het vreselijk dat ze niet de hele waarheid had verteld. En het belangrijkste was natuurlijk: hoe zou Karin reageren?

Ze belde aan en hoorde gelukkig al snel voetstappen.

'Mamma, wat kom jij nou doen? We hebben elkaar zaterdag nog gezien!'

'Hallo, Karin. Mag ik even binnenkomen?'

Karin deed een stap opzij, maar het leek niet van harte.

Marijke begroette haar met een kus, maar daar leek Karin ook niet op te wachten. Marijke deed echter of ze niets merkte, trok opgewekt haar jas uit en liep naar de huiskamer, waar de televisie aanstond. Op de salontafel stond een kopje koffie vlak bij de bank.

'Wat een prachtig beeld hebben jullie toch,' zei Marijke, terwijl ze voor het grote televisietoestel bleef staan. Ze zocht naar een veilig onderwerp in de hoop Karin wat goedgezinder te stemmen. 'Het lijkt bijna alsof je in de bioscoop bent.'

'Iedereen heeft zo'n ding, hoor. Alleen wij hadden er nog geen.'

'Wij ook niet,' zei Marijke.

'Nee, jullie niet, jullie zijn ouderwets.'

'O, dank je.' Marijke lachte en ging op een stoel tegenover de bank zitten en keek naar de koffie. 'Heb je nog wat over? Ik heb ook wel zin in een kopje.'

Karin liep naar de keuken. Ze zei niets, maar haar hele houding straalde uit dat ze niet blij was met dit bezoek. Marijke zou het voorlopig negeren. Eerst maar eens vragen of de kinderen blij waren geweest met de pakjes. 'Konden ze wel slapen na het sinterklaasfeest?' vroeg ze, zodra Karin weer binnenkwam.

'Ik heb ze niet meer gehoord. Ze waren doodmoe.'

'Het is ook altijd zo spannend als je nog in de goede man gelooft.' Marijke glimlachte. 'Ik kreeg de indruk dat Sterre erg zenuwachtig was.'

'Poeh, Sterre…'

'Wat?'

'Niks.'

'Ze had in haar broek geplast,' zei Marijke nu.

'Wat? Wanneer? Daar heb ik niets van gemerkt. Dat rotkind.'

'Karin, daar kan ze toch niets aan doen? Ze is twee jaar. Hoe lang is ze eigenlijk al zindelijk? En dan op sinterklaasavond.'

'Ze doet het ook op andere avonden en vaak nog in haar bed.'

'Maar dat is toch niet vreemd? Ze is nog zo klein.'

'Ja, ga haar maar zitten verdedigen.'

'In elk geval heb ik haar verschoond. Vandaar dat jij het niet wist. Toen ik haar uitkleedde, zag ik een grote blauwe plek op haar dijbeen.'

'O, dat kind loopt overal tegenaan.'

'Nee, Karin, dat heb jij gedaan. Sterre vertelde me dat je haar geknepen hebt. Zo hard dat het een blauwe plek werd.'

'Ze had het verdiend,' siste Karin.

Marijke schrok enorm van deze reactie. Het was dus waar. Sterre had niet gelogen. Karin deed haar pijn. Ze probeerde kalm te blijven, maar het liefst wilde ze Karin beetpakken en door elkaar schudden. Dit kon toch niet?! 'Geen enkel tweejarig kind verdient het om zo geknepen te worden. En ook niet om het oor er bijna afgedraaid te krijgen tijdens het tandenpoetsen.'

'Ach, hebben ze geklaagd?'

'Ze hebben niet geklaagd, Karin, maar ik zie aan hen dat ze soms doodsbang voor jou zijn. Zo was het al een poosje voordat je een weekend naar Terschelling ging. Na die tijd leek het over, maar nu ben je weer zo kortaf, zo onvriendelijk en nors en dus ook hardhandig. Karin, ik weet heel goed dat het jouw kinderen zijn, maar zo mag je ze niet opvoeden.'

'Wat weet jij ervan?' siste Karin kwaad. 'Jij ziet ze maar af en toe. Ik zie ze elke dag. Jij hebt geen idee wat voor ettertjes het zijn.'

'Karin! Het zijn je kinderen en als het ettertjes zijn, dan komt dat doordat jij dat van hen maakt.'

Karin vloog overeind. 'Dus nu krijg ik de schuld. Eruit. En je hoeft ook niet terug te komen. Ik voed mijn kinderen op zoals ik het wil en daar heb jij niets mee te maken. Als ze een pets verdienen, krijgen ze die. Hoor je me? Wegwezen. Ik wil je niet meer zien.'

Marijke stond ook op, maar liep nog niet naar de deur. 'Karin, als er wat is, als je problemen hebt, meisje, ik wil je altijd helpen. Ik

134

wil de kinderen wel helpen verzorgen of boodschappen voor je doen als je het te druk hebt.'

'Ga weg, zeg ik toch.'

'En als je problemen hebt op je werk of met Steven, kun je me dat altijd vertellen. Karin, ik hou van je.'

'Dat zal wel, ja. En nou d'r uit.' Karin greep haar moeder bij de arm en trok haar wild mee de gang in, naar de voordeur.

'Mijn jas,' kon Marijke nog net roepen voordat de deur dicht ging. Karin gooide de jas de tuin in en knalde toen de deur dicht. Verslagen en trillend ging Marijke achter het stuur zitten. Dit was totaal verkeerd gegaan. Ze startte de auto en reed uit het zicht van Karins huis, ging weer stilstaan en merkte dat het huilen haar nader stond dan het lachen. Ze had het helemaal fout aangepakt.

'En toch,' zei ze nog nasnikkend tegen Edith, naar wie ze uiteindelijk toe gereden was, 'ben ik blij dat ik het gezegd heb. Ik had het alleen anders aan moeten pakken, denk ik. Ik had op een gesprek gehoopt, een verklaring van haar kant waarom ze zo kort-af is. Ik heb het niet goed gedaan, maar gezegd moest het worden. Ze kan toch niet ongestraft haar kinderen pijn doen?'

'Ik denk dat ze dat zelf ook heel goed weet,' zei Edith, 'anders had ze nooit zo lelijk tegen jou gedaan. Je hebt haar precies daarop gewezen wat ze zelf ook wel wist. Ik ben het met je eens. Het is goed dat je het gezegd hebt. Anders denkt ze straks nog dat jij alles maar goedkeurt en dat ze ermee door kan gaan.'

'Precies, dat dacht ik ook.' Marijke deed haar bril af en veegde haar wangen droog. 'Maar ik voel me wel afschuwelijk.'

'Logisch. Ruzie met je dochter is gewoon niet leuk.'

'En Johan weet nergens van en die mag het niet weten ook. Dat vind ik ook verschrikkelijk. Ik heb nog nooit een geheim voor hem gehad en nu dit. Bah!'

'Waarom mag hij het niet weten?'

'Omdat hij woest zal worden.'

'Johan? Die kan helemaal niet woest worden.'

'Nee, dat is het erge er ook aan. Hij kan alleen maar zo teleurgesteld kijken, omdat ik toch naar Karin toe ben geweest. Die blik in zijn ogen is nog erger dan woest zijn.' Ze zuchtte hartgrondig. 'Hij heeft het me zelfs verboden, zo was hij erop tegen.'

Edith zweeg, want hier wist ze niets op te zeggen, maar opeens kwam ze overeind. 'Wil je koffie of heb je al gehad?'

'Ik wil graag koffie, en daarna wil ik heel graag horen wat Richard van het gedicht vond dat Johan gemaakt heeft. Wat heb je trouwens een mooie armband om!'

'Vind je?' Trots stak Edith haar arm uit. 'Van Sinterklaas gekregen.'

'Die is uitgeschoten,' zei Marijke lachend.

'Klopt, ik zal het zo allemaal vertellen. Ik heb er zelfs foto's van, maar goed, eerst koffie. Stukje gevulde speculaas?'

'Lekker.'

Terwijl Edith koffie ophaalde, snoot Marijke uitgebreid haar neus, veegde ze haar tranen weg en maakte haar bril schoon. Maar hoe ze ook haar gezicht en bril poetste, vanbinnen voelde ze dat haar hart bleef huilen. Natuurlijk waren er weleens woorden gevallen tussen Karin en haar. Ze kon behoorlijk koppig zijn, zo was ze altijd al geweest. Maar dat ze haar moeder letterlijk de deur uit gooide, zo kwaad was ze nog nooit geweest, en Marijke wist niet wat ze daarmee aan moest. Het voelde alsof ze keihard in haar gezicht geslagen was. Het deed pijn. 'Weet je,' ging ze toch over Karin verder toen Edith weer binnenkwam, 'ik begrijp niet waarom ze zo doet. Ik vraag me ook voortdurend af of het aan mij ligt. Heb ik vroeger iets verkeerd gedaan? Stel dat ze psychisch wat in de war is en naar een psycholoog zou gaan, dan vragen ze altijd naar vroeger en bijna altijd ligt het aan de opvoeding of wat er vroeger, in haar kinderjaren, gebeurd is. Op sinterklaasavond zag ik Tim en Karin en ik begreep niet hoe Karin zo kon zijn. Tim was de rust zelve. Hij lachte met zijn kinderen en met Lucy, hij plaagde hen, hij maakte plezier. Karin keek de hele avond nors en snauwde bijna iedereen af. Zelfs Tim kwam vragen of ik wist wat er met Karin was. Zo erg als nu kennen we haar niet, maar waar is het fout gegaan? Wat heb ik fout gedaan?'

Edith glimlachte. 'Grappig toch, zoals zo veel mensen denken dat de fout bij hen ligt, maar dat is toch een verkeerde gedachtesprong, vind ik. Waarom zou jij schuld hebben aan haar gedrag?'

Marijke haalde haar schouders op. 'Als ik dat wist, zou ik er direct iets aan doen, maar ik weet het niet. Volgens mij hebben we Tim en Karin hetzelfde opgevoed. Ze mochten dezelfde dingen, kregen evenveel liefde, dat weet ik gewoon zeker. We hebben ze allebei laten studeren, op Karins eigen verzoek, hoor. We hebben ze altijd vrij gelaten in hun keus, nooit een kant uit gedwongen. Tim was altijd al erg technisch en ging dus naar de hogere technische school en maakt nu programma's voor software. Karin wilde per se rechten studeren en is nu bijna advocaat. Dat was best duur, twee kinderen aan de studie, maar we hebben toch de hele opleiding voor hen betaald. Natuurlijk hadden ze een bijbaantje kunnen zoeken, maar wij gunden het hen dat ze vrij waren om te studeren en tegelijkertijd vrij waren om van hun jeugd te genieten. We waren even trots op Tim als op Karin. Echt, we hebben ze hetzelfde opgevoed en hetzelfde gegeven, hoe kunnen ze dan zo verschillend zijn?'

'Je weet toch dat kinderen al voor de geboorte verschillend zijn. Ze worden niet alleen gevormd door hun opvoeding, maar hebben ook hun eigen karaktertrekken.'

Marijke zuchtte diep en keek Edith toen verontschuldigend aan. 'Sorry, hoor. Ik kwam voor een gezellige avond.'

'Die hebben we toch? Ik vind het altijd gezellig om met jou te praten, of we het nu over iets vrolijks of iets ernstigs hebben. Maar oké, hier zijn de foto's van Richard op sinterklaasavond.' Ze stak haar vriendin haar digitale camera toe en Marijke bekeek de foto's met een groot vraagteken op haar gezicht. 'Wat doen al die mensen op die foto's?'

'Dat zal ik je vertellen,' zei Edith lachend. 'Richard zou zaterdagmorgen komen en tot zondagavond blijven. Dat verbaasde me, want het was zaterdag immers 5 december en hij heeft ook drie kleinkinderen, dus ik dacht dat hij met hen sinterklaas zou vieren. Maar ik vroeg er niet naar, want ik had bedacht om net te doen alsof ik niet wist dat het sinterklaas was. Ik vond het leuk dat hij hier zou zijn. Ik kocht een paar cadeaus voor hem en een chocoladeletter en een marsepeinen auto.'

'Knap van je,' viel Marijke in de rede, 'dat je een paar cadeaus voor hem kon bedenken. Ik vind het voor Johan erg moeilijk.'

'Ach, ik wist inmiddels van wat voor soort muziek hij houdt en heb een cd gekocht. Natuurlijk liep ik wel de kans dat hij die al had, maar hij mocht geruild worden. Verder is hij onlangs met een nieuwe hobby begonnen en daarvoor heeft hij nog zoveel nodig, dat er nog jaren genoeg te geven valt.'

'O? Wat dan?' vroeg Marijke benieuwd.

'Niet lachen, hoor. Ik schoot namelijk wel in de lach en dat vond hij niet leuk.' Edith grinnikte. 'Hij is een modelspoorbaan aan het aanleggen met treintjes en huisjes en wissels en seinen. Hij steekt er nu nog niet zo veel tijd in, maar hij had bedacht dat hem dat erg leuk leek als hij met pensioen gaat, dus is hij maar vast begonnen om te zien of hij het echt leuk vindt. Ik heb wat poppetjes gekocht die nog beschilderd moeten worden, mensjes dus, en wat dieren. En natuurlijk heb ik een aantal boeken uit de bibliotheek gehaald over modelspoorbanen, maar die moet hij over drie weken weer inleveren,' voegde ze lachend toe.

'Hij is toch machinist? Heeft hij er dan nog niet genoeg van?'

'Dat zei ik ook, maar hij zei dat het niet te vergelijken was. Nu moest hij alles zelf aanleggen en zelf bepalen wanneer de treinen reden en waarheen en…' Ze keek opeens heel ernstig. 'Er gebeuren geen rotongelukken, zei hij. Misschien ontspoort een trein of misschien zelfs botsten er twee tegen elkaar aan, maar het zijn maar modeltreintjes. In het echt is het veel gevaarlijker en hij heeft zelfs momenten gehad waarop hij dacht dat hij het niet meer vol kon houden. Maar treinen zijn zijn leven, dus hij blijft rijden zolang als hij mag en kan, ondanks al die ongelukken.'

Marijke knikte begrijpend. 'Heeft hij ook weleens iemand voor de trein gehad?'

'Ja, hij heeft me geen details verteld, maar inderdaad, en vaker dan je denkt. Het komt lang niet altijd in het nieuws, maar het schijnt echt zeer geregeld voor te komen dat iemand er op die manier een eind aan maakt. Hij is daarna behoorlijk van de kaart, vertelde hij.'

'Dat moet wel, zeg. Wat afschuwelijk.'

Edith knikte. 'Als je erbij na zou kunnen denken wat je een ander daarmee aandoet, zou je het misschien niet doen, maar die mensen zijn zo wanhopig dat ze nergens meer aan kúnnen denken en de trein als enige uitweg zien. Treinmachinist is een zwaarder beroep dan je zo op het oog zou denken.'

Marijke glimlachte. 'Zoals je over hem praat, met warmte in je stem. Je bent erg gek op hem, niet?'

Edith kleurde en knikte. 'Ik weet werkelijk niet wat me overkomt. Hij is zo lief en geduldig en vooral ook zo attent. Hij onthoudt alles wat ik vertel en komt er later op terug of heeft iets gekocht waar ik het over had. Hij is…' Ze zuchtte. 'Ik had nooit gedacht dat ik nog zoiets mee zou maken en als ik er stiekem al eens aan dacht, dan was het nooit zo mooi als het met Richard is.'

'Meid, wat klinkt dat heerlijk. Ik ben zo blij voor je!'

'Dank je. Nou, gaan we verder. Ik had dus net gedaan alsof ik niet wist dat het 5 december was en hij ook. We hadden het er gewoon niet over. Hij kwam 's morgens en we hebben eerst een uurtje zitten praten en koffiedrinken, toen vroeg hij of ik er bezwaar tegen had om anderhalf uur in de auto te zitten. Hij wilde me ergens mee naartoe nemen. Leuk, dacht ik. Ik hou wel van verrassingen. Ik vroeg of ik goed gekleed was voor de gelegenheid of dat ik beter sportschoenen aan kon trekken of een badpak ophalen, maar hij zei lachend dat ik er perfect uitzag, hoewel hij die korte laarsjes die ik laatst droeg net iets leuker vond. Ik deed hem graag dat plezier, dus ik ren naar boven en bedenk daar opeens dat zijn ene zoon in Amersfoort woont en dat dat ongeveer anderhalf uur rijden is, en dat we dus misschien wel sinterklaas gingen vieren met zijn kinderen en kleinkinderen. Dus ik pak de tas met mijn cadeautjes voor hem, prop er een vest bovenop zodat hij niets doorkrijgt en ren weer naar beneden. Je had zijn gezicht moeten zien, toen er iets voor hem uit de grote zak kwam met mijn handschrift erop. Hij was helemaal beduusd.'

'Dus jullie gingen inderdaad sinterklaas vieren bij zijn kinderen?'

'Ja.'

'Meid, vond je dat niet doodeng? Je werd gewoon voor het blok gezet.'

'Het was niet eng. Het was ontzettend gezellig. Iedereen was vrolijk natuurlijk, en Richard had ze allang van mij verteld. Het waren echt leuke mensen en die kleinkinderen waren schatjes. Ze hadden ook een paar cadeaus voor mij in de zak gedaan en van Richard kreeg ik die armband dus.' Edith schoot in de lach. 'Zodra ik doorhad dat ze inderdaad sinterklaas gingen vieren, heb ik een van die jongens gevraagd of hij mijn pakjes voor Richard ertussen kon stoppen. Hij vond Richard maar flauw, want ze hadden afgesproken dat hij me niets zou zeggen, zodat alles een verrassing was. Maar hij had helemaal niets gezegd, ik had het alleen zelf begrepen, dus dat viel weer mee. Richard was echt perplex dat er pakjes voor hem in zaten die van mij kwamen en toen het gedicht kwam en hij het hardop voor moest lezen, kreeg hij een hoofd als een boei. Er stonden immers dingen in als 'je bent zo lief' en 'ik ben zo blij met je'. Z'n kinderen lagen dubbel. Niet om het gedicht, maar om Richards gezicht. Het was echt heel geslaagd alles bij elkaar en 's avonds heeft hij me zo lief en zacht bedankt voor alles, wow, ik voel het nog als ik daaraan terugdenk.' Ze zuchtte van genot. 'Zeg, wil je nog meer koffie of zal ik een fles ontkurken.'

'Nee, nee, voor mij niet. Ik heb liever iets fris. Het lijkt me niet verstandig om nu te drinken. Mijn hoofd is niet helemaal in orde.'

'Wat bedoel je? Heb je hoofdpijn?'

'Nee, maar ik voel me wat verdoofd, suffig, door wat er met Karin gebeurd is. Ik weet niet hoe een glas wijn dan valt.'

'Oké, sinaasappelsap?'

'Graag.'

Edith pakte de lege kopjes op en verdween naar de keuken. Marijke zuchtte eens hartgrondig. Ze moest zorgen zich beter te voelen, want Johan mocht absoluut niets aan haar merken. Gelukkig was het verhaal van Edith die zomaar oog in oog met Richards kinderen stond leuk genoeg om te vertellen. Misschien had hij dan niet door dat ze eigenlijk heel verdrietig was.

'En jij?' vroeg Edith. 'Heb jij een leuke sinterklaasavond gehad?'

'Dat is waar ook. Wacht even.' Marijke stond op en liep de kamer uit, naar de gang en naar buiten. Wat een geluk dat ze er nog aan dacht. Edith begreep er niets van, maar toen ze Marijke binnen zag komen met een kleine pan, wist ze het. 'Erwtensoep?' vroeg ze glunderend.

'Precies.'

'O, meid, wat lekker! Dat je aan me gedacht hebt.'

'Zeg, dat doe ik altijd als ik erwtensoep maak.'

'Ja, maar nu, met sinterklaas. Je had wel meer aan je hoofd.'

'Welnee, alles was keurig op tijd klaar. Het enige probleem was de afmeting van de pan. Ik heb het deze keer in twee pannen gemaakt, maar nu schiet me wat te binnen. Geef me toch maar een glas wijn.'

'O?'

'Ja, ik ben net heel suf geweest, sorry.'

Edith keek haar onderzoekend aan, maar omdat Marijke verder niets zei, haalde ze nog een wijnglas op en schonk er de rode wijn in. Ze gaf het glas aan Marijke. 'En? Vertel je het nu?'

Marijke kwam overeind, met het glas in haar ene hand. Ze sloeg haar andere hand om Edith heen en drukte haar wang tegen de hare. 'Gefeliciteerd, Edith, ik vind het geweldig voor je.'

'Wat bedoel je?'

'Ja, het lijkt me dat het nu officieel is, je relatie met Richard. Als hij je aan zijn kinderen voorstelt. Dus: gefeliciteerd. Van harte. En ik hoop dat je ook een keer met hem bij ons komt, zodat Johan ook kennis met hem kan maken.'

'Een relatie?' Edith straalde. 'Zo had ik het zelf nog niets eens gezien. Ja, nu heb ik officieel een relatie. O, help, wat heb ik gedaan?'

HOOFDSTUK 13

'Ze slapen,' zei Steven, terwijl hij de huiskamer in kwam.

'Eindelijk,' verzuchtte Karin, die wat in een tijdschrift bladerde.

Steven reageerde niet op die opmerking. Hij vond weliswaar dat die nergens op sloeg, maar hij had geen zin in ruzie en ruzie zou er vast wel komen, want hij had nog een vraag. 'Zal ik koffie inschenken?'

'Graag.'

Hij ging naar de keuken, waar de koffie juist doorgelopen was. De afwasmachine draaide. Wat het huishouden betreft waren ze goed op elkaar ingespeeld, maar praten lukte de laatste tijd niet meer en dat baarde hem grote zorgen. Hij had liever dat het een troep werd in huis, dan dat ze zo vijandig met elkaar omgingen, want dat was het woord dat af en toe in hem opkwam en daar schrok hij telkens van. Hij schonk twee mokken vol, deed er voor Karin suiker en melk in en bracht ze naar de kamer.

Karin had intussen de televisie aangezet.

'Komt er iets leuks?' vroeg hij.

Ze haalde haar schouders op.

Hij bekeek haar zoals ze daar zat. Keurig verzorgd, eigenlijk op en top de zakenvrouw die ze overdag ook was. Over een poos zou ze zelfstandig als advocaat mogen optreden. Dan zat haar periode als advocaat-stagiaire erop en had ze aan alle wettelijke verplichtingen voldaan. Dat was natuurlijk het grootste compliment dat ze krijgen kon en de functie waar ze sinds haar beëdiging naartoe gewerkt had. Maar haar gezicht vertoonde norse trekken, alsof ze niet tevreden was met haar leven. Hij zou haar echter niet vragen wat er was, want elk gesprek in die richting liep op niets uit. Toch moest er binnenkort verandering in deze situatie komen, want dit deed hun huwelijk geen goed en hij voelde zich er ook bepaald niet prettig bij. Misschien konden ze over een paar weken nog eens samen een weekend uit en dan zou hij net zolang doorzeuren tot hij wist wat er was. Zelfs hun kinderen voelden dat er wat was en hij kon zich niet aan de indruk onttrekken dat ze soms bang voor haar waren. Dat was ook de reden waarom hij de laatste tijd probeerde zo vroeg mogelijk thuis te komen, om in elk geval de kinderen op te vangen en haar die druk af te nemen. Niet in de eerste plaats om Karin te ontlasten, maar wel om de kinderen het gevoel te geven dat het fijn was om thuis te zijn. Hij was curator en belast met het beheer van diverse failliete boedels. Hij had ook rechten gestudeerd en zo was hij Karin tegengekomen. Maar het verschil met haar beroep was dat hij wat gemakkelijker over zijn eigen tijd kon beschikken.

'Zeg,' begon hij nu toch aan de vraag die hij wilde stellen, 'wat doen we eigenlijk met Kerst?'

'Ja, dat is een goeie vraag,' zei ze en keek hem aan.

Tot zijn verrassing keek ze niet geërgerd, zoals hij verwacht had. Hij was bang dat ze geen zin had om de feestdagen te vieren, omdat het haar misschien te druk zou zijn. Want ergens dacht hij dat dat de reden was van haar norse buien, dat het haar allemaal te veel was.

'Ik heb daar eens over na zitten denken,' zei ze. 'We doen elk jaar hetzelfde. Altijd een van de kerstdagen naar mijn ouders en de andere dag naar die van jou. Ik ben er eigenlijk een beetje zat van.'

'O?' Nu was hij helemaal verbaasd. 'Ik dacht dat je het altijd zo fijn vond bij je ouders?'

'Dat is ook wel zo, maar het is altijd hetzelfde. Mamma kookt zelfs altijd hetzelfde en de kerstboom ziet er elk jaar hetzelfde uit. Altijd naar dezelfde kerk en hetzelfde gebak bij de koffie. Vorig jaar had ik voor het eerst eens een andere salade gemaakt en dat was niet goed. Mamma wilde dezelfde als altijd. Nou, ik wil wel-eens wat anders.'

Hij keek haar geïnteresseerd aan en voelde zich aangenaam ver-rast. Haar gezicht drukte alleen maar kalmte uit, geen stress, geen boosheid. 'Wat had je dan gedacht?'

'Het is misschien al wat aan de late kant om nog iets te vinden, maar kunnen we niet een paar dagen weg naar een hotel? Ik weet wel dat ik de kinderen te klein vond voor de zee, maar in de winter gaan we toch niet zwemmen en kunnen ze dus ook niet verdrinken. Egmond aan Zee, of Noordwijk aan Zee.'

'Karin, wat een onverwacht voorstel. Ik geloof dat ik zelfs sprakeloos ben.'

'Dus je vindt het niets?' Haar gezicht betrok.

'Het lijkt me geweldig!'

'Ja?'

'Ja, ik vind het een prachtig idee. Lekker alleen met ons eigen gezin de kerstdagen doorbrengen. En aan zee. Je weet hoeveel ik van de zee houd. Als het droog is, kunnen we vast wel een kasteel bouwen of een kuil graven. In elk geval een stukje wandelen. Misschien wel vliegeren. En dan daarna ergens bij de open haard warme chocola met slagroom. Lieverd, ik zie het echt helemaal zitten. Had je ook al een hotel gevonden?'

Ze schudde haar hoofd. 'Ik was bang dat je niet wilde. Het is zo'n traditie om naar onze ouders te gaan.'

'Dat is wel zo, maar tradities zijn er om te verbreken. We moeten het ze alleen wel zo snel mogelijk vertellen, want ze rekenen natuurlijk op ons en zullen wel raar opkijken. Maar ik vind het echt een leuk idee.'

Karin lachte opgelucht. 'Heb ik me voor niets zorgen gemaakt. Ik dacht echt dat je het niet zou willen. We kunnen oud en nieuw dan wel bij jouw ouders vieren, dan zien we hen toch nog dit jaar.'

'Maar jouw ouders waren toch aan de beurt?'

'Dat weet ik niet zo precies, maar we zijn met sinterkaas bij mij thuis geweest, dan vind ik dat we oud en nieuw naar jouw ouders moeten. Jij bent enig kind. Die zitten misschien wel helemaal alleen met Kerst als wij niet komen.'

'Nou, als jij vindt dat we dat kunnen maken naar jouw ouders toe, dan ben ik het er helemaal mee eens.' Hij kwam opeens gehaast overeind. 'Zal ik eens kijken of er hotels open zijn met Kerst?'

'Leuk.' Karin kwam ook overeind en liep met hem mee naar de

computer die in de hoek van de huiskamer stond.

Steven ging achter de computer zitten en Karin ging achter hem staan, legde haar hand in zijn nek en streelde hem zacht. De aanraking verraste hem, maar dat liet hij niet merken. Hij keek omhoog en glimlachte. Ze boog zich naar hem toe en kuste hem.

'Hm,' gromde hij zacht.

'Niks hm,' zei ze. 'Zoeken.'

'Oké, oké, ik wist niet dat je haast had,' grapt hij.

'Ik heb geen haast, maar wel een probleem.'

'O?'

'Ja, zou jij het mijn moeder willen vertellen? Van jou accepteert ze het gemakkelijker dan van mij. Op jou zal ze niet zo snel boos worden, op mij misschien wel. Want ze zal vast teleurgesteld zijn, maar het is zoals ik zei: ik ben er zat van, elk jaar hetzelfde.'

'Oké, bel ik jouw ouders, bel jij de mijne. Goed?'

'Deal!' zei ze lachend.

'Hoeveel dagen ben jij eigenlijk vrij?'

'Weinig,' zei ze. 'Alleen de kerstdagen, maar ik wil proberen om donderdagmiddag de 24e ook vrij te krijgen. Helaas moeten we dan zondagavond alweer terug, tweede kerstdag dus, omdat ik echt maandag weer op kantoor moeten zijn. Vorig jaar was ik degene die lang vrij was, nu moet ik dus aanwezig zijn voor het geval er onverwachte dingen gebeuren.'

'Tja, dat krijg je ervan als je bijna advocaat bent.' Hij keek haar warm aan en pakte even haar hand, die nog steeds in zijn nek lag. 'Kijk, is dit wat?'

Ze boog zich naar het scherm, maar bedacht zich en trok een stoel bij om het beter te kunnen zien.

Na een poosje hadden ze drie hotels gevonden die hen geschikt leken en die tijdens de kerstdagen geopend waren.

'Zal ik ze bellen of jij?' vroeg Steven.

'Ga je gang, schenk ik nog een keer koffie in.' Opgewekt pakte ze de mokken en verdween naar de keuken. Steven keek haar hoofdschuddend na. Wat was ze anders vanavond. En wat was dat fijn!

Hij trok de telefoon naar zich toe en toen Karin de kamer weer in kwam, was hij druk in gesprek over kinderbedjes en een kerstdiner en andere details.

Ze ging stil op de bank zitten en wachtte af, maar het was duidelijk: Steven boekte de kamer!

'Gelukt, zeg!' riep hij uit. 'We krijgen een heel grote kamer op de vierde verdieping met een tweepersoonsbed en twee kinderbedjes, televisie, balkon met uitzicht over de huizen, maar ook op zee. Op eerste kerstdag hebben ze een kerstdiner. We hoeven er niet te eten, maar er is die avond geen keus. Op de andere avonden kunnen we wel kiezen. En inclusief ontbijtbuffet. Het strand is honderd meter lopen. Hoe klinkt het?'

'Geweldig!'

'Dat dacht ik.' Hij kwam overeind en liep op haar af, trok haar in zijn armen en kuste haar. 'Karin, wat een geweldig idee. O, ik kan al haast niet wachten tot het zover is.'

'Het duurt anders nog anderhalve week, hoor!'

Hij kuste haar nogmaals en liet haar toen los. 'Zal ik dan maar meteen de koe bij de horens vatten en je moeder bellen?'

'Dan ga ik maar even douchen. Ik hoef niet te horen dat ze boos is.'

'Ach joh, ze heeft er vast alle begrip voor.' Opgewekt pakte hij opnieuw de telefoon en koos het nummer van zijn schoonmoeder.

'Hallo, met Steven.'

'Dag, jongen, wat een verrassing. Hoe is het bij jullie?'

'Prima hoor, en bij jullie?'

'Ja, ook goed. Zeg, ik hoop dat je over de kerstdagen belt. We hebben nog steeds niets afgesproken, maar dat wordt wel tijd. Het is maar zo Kerst.'

'Daar bel ik inderdaad voor.'

'Mooi, wordt het eerste of tweede kerstdag dit jaar?'

Steven haalde diep adem en zei vervolgens: 'Ma, je zult het misschien niet leuk vinden, maar Karin en ik hebben andere plannen dit jaar.'

'Andere plannen? Hoe bedoel je?'

'We willen graag de kerstdagen alleen met ons gezin doorbrengen.'

Marijke viel stil. Hoorde ze het goed? Kwamen ze niet bij hen op eerste of tweede kerstdag? Dat kon toch niet waar zijn? Ze kwamen elk jaar! Haar hele leven was Karin met Kerst thuis geweest. Dit kon hij niet menen.

'Ben je er nog?' vroeg Steven.

'Ja, maar... Ik heb je vast niet goed verstaan.'

Steven glimlachte. 'Jawel, dat heb je wel. Wij gaan de kerstdagen weg en komen dus niet bij jullie. We hebben een hotel geboekt vlak bij zee. Het lijkt ons erg leuk samen met z'n vieren op stap te gaan.'

'Dat is het ook,' vond Marijke. 'Dat ben ik helemaal met je eens, maar waarom nu net met Kerst? Dat kan toch elk weekend? Wat moeten wij dan? Wie heeft dit bedacht?' vroeg ze opeens kattiger dan ze wilde.

Hij schrok van de venijnigheid in de vraag, die hij goed hoorde. 'Wij,' zei hij, want hij had geen zin Karin de schuld te geven, terwijl hij het zelf ook zo'n geweldig plan vond.

'Karin heeft het bedacht,' zei Marijke.

'Ma, het spijt me dat we je er verdriet mee doen, ik had gedacht dat je het wel kon begrijpen. Wij zijn toch ook een gezin? Het is toch niet raar dat wij die dagen op onszelf willen zijn?'

Marijke zuchtte. 'Je hebt gelijk. Natuurlijk is dat niet raar. Neem me niet kwalijk. Het komt alleen zo onverwachts. Hier had ik echt niet op gerekend. Heeft... Heeft Karin nog verteld...'

'Wat?'

'Heeft ze verteld dat ik laatst bij jullie was?'

'Hier? Nee, daar weet ik niets van. Hoe kan dat? Ik ben toch ook altijd thuis?'

'Maar niet op maandag,' zei Marijke.

'Dat klopt. Kwam je met opzet... Ma, wat bedoel je?'

Marijke haalde diep adem. Ze wist eigenlijk niet of ze het wel of niet moest zeggen wat ze tegen Karin gezegd had en hoe boos Karin toen op haar geworden was. Het was duidelijk dat Steven nergens van wist.

'Ma, wat bedoel je nou?'

'Ach, niets,' zei ze aarzelend. 'Ik maakte me gewoon wat zorgen om Karin. Zeg, jullie komen dan tenminste toch wel met oud en nieuw?' ·

Steven beet op zijn lip. Net had alles nog zo'n goed idee geleken, maar nu zakte hem de moed in de schoenen. Hij vond het niet leuk zijn schoonmoeder zo teleur te stellen. 'Ook niet,' zei hij zacht. 'Mijn ouders hebben alleen mij, dus we hebben besloten oud en nieuw naar hen toe te gaan, omdat we met Kerst daar ook niet komen en met sinterklaas bij jullie waren.'

'Wat is er met jou?' vroeg Johan, die niets van het hele telefoongesprek mee had gekregen, omdat hij in de keuken bezig was geweest het koffiezetapparaat te ontkalken.

'Karin en Steven komen niet met Kerst.'

'Komen niet?' Johan keek haar met grote ogen aan. 'Hoezo niet?'

'Ze gaan naar een hotel aan zee.'

'Met Kerst?'

'Ja, ze wilden eens wat met zijn vieren doen.'

'Precies met Kerst? Dat doe je toch niet. Kerst vier je met je familie.'

'Dat vindt Steven ook en dus gaan ze met zijn vieren naar dat hotel.'

'Hier begrijp ik niets van. Ze komen elk jaar!'

'Maar nu niet en met oud en nieuw ook niet.'

'Wat is dat nou voor onzin? Ik zal Karin eens bellen. Dit kan toch niet. Het is traditie om die dagen samen te vieren. Die traditie kan ze niet verbreken.'

'Je hoeft niet te bellen. Steven was zo blij met hun plan. Hij heeft er echt zin in en…' Ze haalde haar schouders op. Ze wist zelf ontzettend goed waarom dit gebeurde. Ze wist nu dat Steven er niets van wist dat ze bij Karin geweest was en hoe Karin haar de deur uit gezet had. Ze was ervan overtuigd dat Karin dit bedacht had en Steven zich had laten meeslepen door haar enthousiasme.

'En?'

'Ach, ergens hebben ze wel gelijk ook. Wij willen de kerstdagen met onze kinderen doorbrengen. Zij ook. Steven heeft gelijk. Hij zei: wij zijn zelf ook een gezin. En dat klopt. Dus we moeten ons er maar bij neerleggen.' Marijke voelde dat ze kleurde, omdat ze eigenlijk zat te liegen. Ze was het er helemaal niet mee eens dat Karin en Steven niet zouden komen, maar als Johan zou bellen, zou Karin misschien eerlijk zeggen waarom ze niet wilde komen en dat wilde Marijke voorkomen. Maar dat Karin zover ging om haar niet meer te ontmoeten, dat had ze nooit gedacht en dat deed ongelooflijk veel pijn.

'Weet je wat?' zei ze opeens een stuk opgewekter. 'Misschien hebben Edith en Richard wel zin om een van beide dagen te komen. Dan kun jij hem ook eens zien. Ik weet zeker dat je met hem overweg kunt. Hij heeft immers ook een baard.'

Johan moest ondanks alles lachen. 'Dat is best een goed idee, maar misschien moet je eerst Tim maar vragen om erachter te komen wat hij doet.'

'En mijn ouders vertellen dat ze van harte welkom zijn, maar Jolien en Sterre niet te zien krijgen.'

Marijke kon het gesprek met Karin niet meer uit haar gedachten zetten. Het beheerste haar bij alles wat ze deed. Ze had het alleen maar goed bedoeld, haar opmerkingen over haar gedrag naar de beide meisjes toe, maar het was zo verkeerd opgevat. Zelfs mevrouw Tuinstra merkte dat er haar iets dwarszat.

'Zuster,' zei ze dwingend, 'ga eens zitten en vertel me wat er is.'

Marijke schaamde zich dat ze zich zo onprofessioneel had opgesteld. Het was immers niet toegestaan haar privéleven mee te nemen naar haar patiënten. Aan de andere kant was mevrouw Tuinstra amper nog een patiënt te noemen. Ze kwam nu al zo lang bij haar aan huis en had al van alles verteld en gehoord. Ook over Karin had ze al eens verteld.

'U bent toch niet depressief doordat de dagen zo kort zijn?' vroeg de oude dame. 'Dat hoor je tegenwoordig erg vaak.'

Marijke glimlachte. 'Nee, daar heb ik geen last van. Het is mijn dochter.'

'Ach, wat dan? Is er iets met haar gebeurd of eh…' Het schoot haar opeens weer te binnen.

'Ja, inderdaad. Ik heb haar op haar gedrag aangesproken.'

'Goed zo. Heel flink. Je ziet wat het resultaat is.'

'Bij u pakte het gelukkig positief uit, maar bij mij niet.'

'O?'

'Nee, ze wil niets meer met me te maken hebben.'

'Dat is niet waar! Wat vreselijk. Hoe kan dat nou?'

'Ik heb het verkeerd aangepakt.'

'En wat zegt uw man ervan?'

'Die weet het niet! Hij vond dat ik me er niet mee mocht bemoeien en nu durf ik niet te zeggen dat ik het toch gedaan heb.'

'Zuster toch. U moet altijd alles met uw man bespreken. Karel en ik…' Maar ze hield abrupt op. 'Sorry, ik dwaal af. Maar uw man moet toch minstens merken dat ze geen contact meer wil?'

'Ha, mijn dochter is erg slim. Ze heeft een prachtige smoes bedacht, waarom ze niet hoeft te komen met de kerstdagen. En ook niet met oud en nieuw. Ik zou zelf bijna geloven dat ze het meent. Maar ik weet waarom ze niet komen. Omdat ze mij niet wil zien.'

'En haar man? Wat zegt die ervan?'

'Hij weet het ook niet.'

'Juist. En nu?'

'Wist ik het maar.'

'U gaat dan toch zeker zelf wel naar hen toe met Kerst. Je moet je familie niet alleen laten tijdens die dagen.'

Marijke zuchtte. 'Ze gaan weg, naar een hotel aan zee.'

'Zo, ja, dat is een mooi excuus om niet thuis te hoeven komen.'

'Ik heb haar gisteravond gebeld. Ze gaan namelijk vanmiddag weg, zodat ze kerstavond daar zijn. Ik wilde ze toch in elk geval heel fijne dagen wensen.'

'En?'

'Ze wilde niet aan de telefoon komen. Haar man nam op en toen ik naar haar vroeg, zei hij dat ze boven was bij de kinderen en dat ze niet beneden kon komen.'

'Dat kan, maar dan hebt u later toch wel teruggebeld?'

'Heb ik gedaan, ja, maar toen was ze niet thuis! Steven zei dat ze een frisse neus aan het halen was. Ik heb nog gevraagd of hij haar wilde vragen mij te bellen, maar dat is niet gebeurd.'

'Wat een trieste toestand, maar weet u wat ik denk? Dat ze drommels goed weet dat u gelijkt hebt. Anders deed ze niet zo. Als ze het er niet mee eens was, zou ze protesteren, zeggen dat u ongelijk hebt, maar ze loopt weg voor u, dus hebt u gelijk. Weet u wat u doet? U laat haar gewoon een poosje in haar sop gaarkoken en u zult zien dat ze dan vanzelf weer terugkomt.'

'Dat zou mooi zijn.'

'Kom, ga nou niet de beide kerstdagen zitten piekeren,' vond mevrouw Tuinstra.

'Die kans zal ik wel niet krijgen. Eerste kerstdag komen mijn zoon met zijn gezin en mijn ouders. Dus druk genoeg. Tweede kerstdag komt mijn vriendin met haar vriend.'

'Kijk eens aan, wat een boel gezelligheid. Geniet ervan, hoor.'

'En u?' vroeg Marijke. 'Krijgt u ook bezoek?'

'Ja hoor, mijn kinderen komen allebei met hun kinderen en ze nemen zelf eten mee. Ze hebben me een viergangenmenu beloofd, dus dat wordt smullen. En ik heb ook nog iets prachtigs te vertellen.'

Marijke keek haar nieuwsgierig aan.

'Annet en haar man hebben gevraagd of ik bij hen een kop koffie kom drinken op tweede kerstdag.'

'Wat leuk, zeg. Bent u al eens bij hen thuis geweest?'

'Nee, en ik ben best benieuwd hoe ze het hebben ingericht.

Eergisteren zag ik hem met een kerstboom sjouwen en Tobias gilde van plezier. Ik kan er nog niet over uit hoe goed het daar gaat. Ze zijn alle drie zo veranderd. Tobias gaat elke dag naar de speelzaal en na de kerstvakantie gaat hij zelfs naar de kleuterschool eh... nou ja, basisschool, bedoel ik. Hij vindt het erg leuk op school en Annet komt daardoor veel meer tot rust overdag. Ze heeft voorgesteld om voor mij de boodschappen te doen, maar daar heb ik al iemand voor. Ik kan wel een klusjesman gebruiken. Ik zou zo graag nog een schilderijtje ophangen en dat ene kastdeurtje hangt scheef. Ze zei dat haar man dat allemaal zou komen repareren en hij kwam meteen 's avonds nog. Geweldig, toch. Maar Annet was teleurgesteld, ze wilde zo graag iets voor me doen. Toen heb ik gevraagd of ze niet een eind met me wilde wandelen. Ik kom nooit meer buiten en ik durf niet alleen met mijn rolstoel.'

'Hebt u die dan?'

'Ja, er staat er al jaren een in de schuur, maar ik heb het nooit gedurfd om op dat ding te rijden. Gisteren zijn we een blokje om geweest. Zuster, ik heb zo genoten!'

Marijke kwam overeind. 'Dit klinkt me allemaal als muziek in de oren, maar nu moet ik echt weg. Er wachten nog drie patiënten op me en ik wilde graag bijtijds thuis zijn. In elk geval kan ik u van harte heel fijne kerstdagen wensen.'

'Dat moet wel lukken, ja. En, zuster? Die wens ik u ook! Nergens over piekeren. Alles komt vanzelf wel weer goed.'

'Kijk eens aan, een bloemetje voor mevrouw en een fles spraak-water voor meneer.' Richard kwam joviaal gebarend de huiska-mer binnen en stelde zich aan Johan voor.

'Wat een mooie kerstboom hebben jullie, zeg!'

Edith kwam er verlegen lachend achteraan. Ze voelde zich wat opgelaten, omdat ze nog nooit eerder iemand mee had genomen naar Marijke en Johan toe.

'Welkom, allebei,' zei Marijke hartelijk. 'Echt leuk dat jullie er zijn.'

'Hoezo spraakwater?' vroeg Johan. 'Vind je dat ik te weinig zeg, of was je van plan diepgaande discussies te gaan voeren?'

'Ik dacht: mensen die schrijven, spreken niet, dus ik moet je maar een handje helpen.'

Johan fronste zijn wenkbrauwen en keek hem vragend aan.

'Dat mooie gedicht was toch van jouw hand?' vroeg Richard.

'Dat sinterklaasgedicht,' verduidelijkte Edith.

'O, dat? Ja, haha, ja, dat heb ik geschreven. O, bedoel je dat? Nou ja, hoe dan ook, een borrel gaat er altijd in. Bedankt, Richard. Neem plaats.'

'Ik kijk liever even rond, als je dat goedvindt. Even de sfeer in me opnemen.'

'Dan schenk ik ondertussen koffie in. Met suiker en melk, Richard?'

'Eh, sorry, Marijke, ik drink geen koffie. Tenzij je cafeïnevrije hebt?'

Marijke schudde verontschuldigend haar hoofd. 'Wil je wel thee?'

'Graag. En met suiker.'

'Gewone thee of thee met een smaakje?'

'Wat het gemakkelijkst is, op dat gebied lust ik alles,' zei Richard opgewekt.

Edith ging wel zitten en keek naar Richard, zag hoe hij naar de kerstboom liep en daarna de kerstkaarten bekeek die aan een lang lint langs de muur hingen. Ze voelde zich wat opgelaten. Richard bij haar thuis was één ding, maar Richard bij een ander in huis… Ze bekeek hem zoals ze dacht dat Marijke en Johan hem bekeken en vroeg zich af wat zij ervan vonden dat hij zo openlijk en nieuwsgierig rondkeek.

'Ze hebben jullie aardig bedacht met al die kaarten,' zei hij onder de indruk.

'Dat valt nog best tegen,' vond Johan. 'Als je wist hoeveel kaarten Marijke verstuurd heeft, dan hebben we nog niet de helft teruggekregen.'

'Dus zíj is hier eigenlijk de schrijver,' zei Richard lachend, terwijl hij naast Edith op de bank ging zitten.

'Daar komt het wel op neer. Ze is er elk jaar een paar avonden zoet mee, maar ze vindt het leuk om te doen. Ze stuurt de meeste van haar patiënten ook een kaart, maar die hebben haar privéadres niet. Ik denk dat er ook wel een aantal op het laboratorium ligt.'

'Och ja, Marijke is verpleegkundige, nietwaar?'

'Zoiets ja, maar ze neemt uitsluitend bloed af bij mensen thuis. Sommige patiënten kent ze nu al jaren en die stuurt ze dan een kaartje.'

'Attent. Ik ben zelf niet zo'n schrijver. Wat?' Hij keek verward om naar Edith, die hem een por in zijn zij gegeven had. 'Ach, sms'jes, ja, of af en toe een mail.'

'Af en toe,' zei ze protesterend. 'Ik heb elke dag een mail van je en niet zulke korte ook!'

'Zozo,' zei Johan grijnzend. 'Dus het is dik aan tussen jullie.'

Edith bloosde zo zichtbaar dat Johan in de lach schoot. 'Leuk toch juist. Je kleurt alsof je je ervoor schaamt.'

'Waar schaamt ze zich voor?' Marijke kwam binnen met een groot dienblad beladen met kopjes en schoteltjes met kerstkrans.

'Dat ze elke dag een e-mail krijgt van Richard,' legde Johan uit.

'De bofkont. Ik krijg nooit een e-mail van Johan.'

'Daar stopt Richard ook wel mee als hij bij Edith in huis woont, of andersom natuurlijk. Waar woon jij eigenlijk?'

'In Assen,' antwoordde Richard. 'Een halfuurtje rijden.'

'Dat is mooi dichtbij. Grappig dat jullie helemaal naar de Canarische Eilanden moesten om elkaar tegen te komen.'

'Maar je komt oorspronkelijk uit het westen?' vroeg Marijke.

'Nee hoor, ik ben een echte Drent.'

'Omdat je kinderen in Amersfoort wonen, althans dat had ik begrepen.'

'De oudste. De jongste woont in Ermelo. Maar ik heb mijn hele leven in Assen gewoond.'

'Je zegt het alsof je er ook de rest van je leven wilt blijven wonen.'

Richard glimlachte. 'Dat gevoel heb ik wel altijd gehad, ja. Ik voel me er erg thuis, ben echt verknocht aan de stad.' Hij keek Edith aan en streelde even haar wang. Hij knipoogde en zij glimlachte terug.

Marijke voelde vreemd genoeg een brok in haar keel. Het was zo'n teder gebaar opeens, midden in het gesprek, zo lief. Het ontroerde haar dat twee mensen van middelbare leeftijd nog zo verliefd konden doen. Het was vooral aan Edith ook goed te zien dat ze verliefd was. Haar wangen hadden een gezonde kleur en haar ogen glansden. Het deed haar echt goed. Ze was de laatste tijd veel kwieker geworden, actiever, opgewekter. Ze liep zelfs anders, met een verende tred, zelfbewuster. Marijke hoopte van harte dat dit een blijvende relatie was, want het was zo duidelijk dat het Edith goed deed, dat ze beslist in een diep gat zou vallen als het voorbij zou zijn.

'Waar zit jij met je gedachten?' stoorde Johan haar.

'O?' Nu was het Marijke die bloosde. Ze keek Edith warm aan. 'Ik ben gewoon zo blij voor jullie.' Ze keerde zich naar Richard. 'Kon je wel hier komen eigenlijk, met je twee kinderen? Moest je niet met hen kerstfeest vieren?'

'Dat doen we al jaren niet meer,' zei hij.

'Niet?'

'Nee, op een gegeven moment werd het te lastig. Ik ben gescheiden, weet je. Ze raakten erdoor verward en hadden eigenlijk elke Kerst een kerstdag te weinig. De eerste naar mij toe, de tweede naar hun moeder en de derde naar de schoonouders. Dus ik heb gezegd dat ik ze vrij liet. Ze hoefden echt niet te komen. Ik vermaakte me toch wel. Ze waren echt opgelucht dat ik dat zei. Vorig jaar zijn ze allebei bij mij geweest en dit jaar heeft die uit Ermelo gevraagd of ik oud en nieuw bij hen wil vieren. Hij wist toen nog niet van Edith, maar die mocht ook meekomen, zei hij na het sinterklaasfeest met de kleinkinderen.' Hij keek Edith liefdevol aan. 'Je bent echt in de smaak gevallen bij hen.'

'Dat kan ook niet anders,' mompelde Johan met zijn mond vol kerstkrans.

'Ach, hou op,' zei Edith en greep haar eigen stuk kerstkrans.

'Johan heeft gelijk,' deed Marijke ook nog een duit in het zakje. 'Wie kan er nou iets tegen jou hebben. Je bent een schat van een mens.'

'Zo kan die wel weer,' mopperde Edith, die er niet van hield in de schijnwerpers te staan.

'Je hebt haar anders wel voor het blok gezet, om haar zonder iets te zeggen mee te nemen naar je kinderen,' vond Marijke.

Richard knikte. 'Het leek me de beste oplossing. Ik ben nu acht jaar gescheiden, dus in principe konden de kinderen er niets op tegen hebben dat ik met een vriendin aan kwam zetten. Toch vond ik het best wel eng. Je weet immers niet hoe ze reageren. Maar ik wist dat Edith het nog veel enger vond. Ze was bang dat ze haar met hun moeder zouden vergelijken of zo. Ze heeft zelf ook geen kinderen, dus ze wist niet zo goed wat ze ermee aan moest. Als ik verteld had dat we naar hen toe zouden gaan, was ze vreselijk zenuwachtig geweest. Bovendien leek het sinterklaasfeest me echt een geschikt moment met de kleine kinderen erbij. Dan is het toch een rommelig gedoe en dat leek me beter dan keurig opzitten en pootjes geven. Het ging toch ook prima?' Hij keek Edith vragend aan.

'Ja, het verliep echt erg leuk, heel ontspannen en heel normaal. Ik had meteen het gevoel dat ik welkom was, al was ik onderweg toch wel wat zenuwachtig, want ik had immers meteen door wat je van plan was.'

'Ja, dat was wel een enorme verrassing. Ik dacht jou te verrassen met wat pakjes, maar toen kreeg ik zelf ook cadeautjes, die duidelijk niet van mijn kinderen kwamen.'

Hij lachte en sloeg een arm om haar heen, trok haar even dicht tegen zich aan en drukte zijn lippen op haar wang. 'Je bent een echte schat,' zei hij zacht in haar oor.

Marijke glimlachte en stond op. 'Ik ga nog eens koffie halen. Was de thee naar smaak?'

'Prima, ja.'

Ze zette de kopjes op het dienblad. Edith stond ook op en stapelde de bordjes op, liep achter Marijke aan naar de keuken. 'En? Vind je hem nog steeds leuk?' vroeg ze nieuwsgierig.

'Ja, echt. Ik vind hem ook erg lief. Ik word bijna jaloers op je en dat is ontzettend oneerlijk. Weet je, Johan doet vaak genoeg lief tegen me, maar het is zo gewoon. Zoals jullie doen, dat ziet er zo heerlijk uit. Ik had opeens zin om ook verliefd te zijn. Maar dat is gemeen, want ik ben al jaren gelukkig getrouwd. Toch dacht ik het. Verliefd op Johan, hoor. Geen gekke dingen denken. Ik denk dat ik hem toch maar eens een sms'je of een mail ga sturen. Iets onverwachts, iets anders dan anders. Misschien helpt dat.'

'Ben je de verrassing op dierendag alweer vergeten?' zei Edith lachend. 'Toen was ik jaloers. Dat jij iemand had die zo lief deed.'

'Je hebt gelijk. Wat ben ik een ondankbaar mens. Vreselijk. Ik schaam me diep.'

'Nergens voor nodig. Ik snap dat wel. Zo zijn we nu eenmaal. Hoe zeggen ze dat ook alweer? Bij de buurman is het gras altijd groener.'

'Ja, zoiets is het wel. Ik ben heel gelukkig met Johan, maar als ik jouw glanzende ogen zie, denk ik: wanneer hebben mijn ogen zo geglansd? Dat is lang geleden.'

'Jouw ogen kijken altijd warm als je het over Johan hebt of als je naar hem kijkt. Altijd, weet je,' zei Edith. 'Glanzende ogen zijn heerlijk, maar meestal is het maar tijdelijk.'

'Je hebt helemaal gelijk. In elk geval ben ik ontzettend blij voor je dat je Richard ontmoet hebt, en ik vind hem echt erg leuk om te zien en om mee te praten.'

'Gelukkig, want dat vind ik toch wel belangrijk,' zei Edith.

'Hé, wat is dat nou? Ik krijg een sms'je.' Verbaasd pakte Marijke haar mobiele telefoon, die op het aanrecht lag. Ze las het bericht en schoot in de lach. 'Moet je kijken.' Ze hield Edith het toestel voor. *Lieverd, kom je nog terug? Kus, je man.*

'Alsof hij gedachten kan lezen,' zei Marijke. 'Ik wilde hém immers binnenkort eens sms'en.'

'Misschien kan hij dat ook wel na al die jaren,' bedacht Edith.

'In veel gevallen wel, ja. Nou, sorry, dat ik van die rare dingen zei.'

'Helemaal niet. Je zegt gewoon wat je denkt en voelt en dat stel ik heel erg op prijs. We zijn immers vriendinnen!'

Marijke lachte haar toe. 'Oké, laten we dan maar weer teruggaan. Misschien vervelen ze zich wel te pletter met zijn tweeën.'

Maar dat bleek niet zo te zijn. Ze stonden samen voor de kast met cd's en dvd's en waren druk in discussie over wie nou beter waren: de Beatles of de Rolling Stones.

Ook de rest van de dag verliep uitstekend. Ze genoten van elkaar, van de gesprekken, van de wandeling die ze 's middags maakten en de glühwein die ze daarna dronken, van de uitgebreide maaltijd die Marijke later op tafel zette, maar ondanks alles miste Marijke haar dochter de hele tijd.

Toen Edith en Richard weg waren, zei ze tegen Johan: 'Als Karin en Steven niet hier komen met oud en nieuw, kunnen wij hen misschien bezoeken op 1 januari? Ik zou haar en de meisjes zo graag persoonlijk een gelukkig nieuwjaar wensen.'

159

Johan keek haar bevreemd aan. 'Ik ging er automatisch van uit dat ze hier komen. Dat doen ze toch altijd als ze het oude jaar hebben uitgezeten bij zijn ouders?'

Marijke knikte. 'Dat is waar, maar aangezien we na deze Kerst nergens meer automatisch van uit kunnen gaan, dacht ik ook maar eens anders dan anders te doen en naar hen te rijden.'

'Prima, hoor. Maar dan moet Tim dat wel weten, want anders komt hij misschien voor een dichte deur.'

'Tim komt pas aan het eind van de middag. Ze gaan naar vrienden toe en blijven daar slapen. Vervolgens gaan ze eerst naar Lucy's ouders en daarna komen ze pas hier.'

'Dat wist ik niet. Oké, dan gaan wij 's morgens naar Groningen, want naar je ouders hoeven we niet.'

'Precies, die zien we oudejaarsavond al.'

'Ze verheugen zich er erg op, wist je dat?' zei Johan. 'Je moeder vertelde me dat gisteren. Het is lang geleden dat we op oudejaarsavond bij hen waren. Meestal vroegen we hen hier, omdat Karin of Tim of allebei hier kwamen. Ze vinden het erg leuk dat we dit jaar bij hen komen.'

'Mooi, dan heeft de onverwachte actie van Karin toch nog een positief resultaat.'

'Toch nog? Het klinkt alsof je het Karin kwalijk neemt. Vond je het vandaag niet leuk dan? Dat Edith en Richard hier waren, was anders nooit gebeurd op een feestdag. Persoonlijk vond ik het een leuke afwisseling. Ik weet wel dat ik een traditiemens ben, maar ik heb er erg van genoten om met Richard te praten. Het praat anders met iemand van je eigen leeftijd dan met je kinderen. Dus ik neem Karin niets kwalijk, integendeel eigenlijk.'

Marijke zie niets meer. Ze wilde zichzelf beslist niet verraden en het wás waar. Ze hadden een heel fijne dag gehad. Als zij Karin maar niet de hele tijd gemist had.

'Oké,' zei ze. 'Dat is dan in elk geval afgesproken. Op 1 januari 's morgens naar Groningen.'

Het gebeurde echter niet. Karin was duidelijk slimmer dan Marijke verwacht had.

Om halftien 's morgens ging bij Marijke en Johan de telefoon. Het was Steven. 'Gelukkig nieuwjaar,' riep hij vrolijk.

'Ja, bedankt,' zei Marijke. 'Jullie ook allemaal, hoor. Wat ben je trouwens vroeg! Moest je niet uitslapen?'

'Ha, vertel dat maar eens aan Jolien en Sterre. Die kennen dat woord nog niet. Ma, komt het uit als we straks even langskomen?'

'Hier?'

'Ja!'

'Dat is een verrassing. Ik dacht… Natuurlijk komt het uit. Van harte welkom. Maar toch niet nu op staande voet?'

'Welnee, ik zit nog in mijn ochtendjas,' zei Steven.

'Gelukkig. Wij ook. We zitten nog lekker bij te komen met een kop thee en een oliebol.'

'Zelfgebakken?'

'Wat denk jij nou?' vroeg Marijke verontwaardigd.

'Heerlijk, bewaar er een paar voor mij. Met krenten en appel, graag. Jolien en Sterre zullen wel niets hoeven. Die zijn gister-avond zo volgepropt bij mijn ouders. Op de terugweg moest Jolien ervan overgeven in de auto, dus dat wordt mopperen, de volgende keer dat we naar die opa en oma gaan. Tegen elf uur, is dat goed?'

'Leuk, ik verheug me erop en zal zorgen dat de koffie klaar is.'

'Wie was dat?' vroeg Johan verbaasd. 'Ik dacht dat we zo weg-gingen?'

'Hoeft niet, ze komen hierheen. Tegen elven zijn ze er.'

'Dat vind ik leuk. Dus toch.' Johan grijnsde. 'Gelukkig hebben ze niet alle tradities overboord gegooid. Zeg, kan er nog een oliebol af, of moet je de rest bewaren voor het bezoek?'

'Ik had twee zakjes voor Karin en Tim opzij gelegd. Dus jij mag alles opeten wat op deze schaal ligt.'

'Heerlijk, dat laat ik me geen twee keer zeggen.' Johan pakte opgewekt een oliebol van de schaal en legde hem op zijn schoteltje, bestrooide hem rijkelijk met poedersuiker en nam een flinke hap.

Marijke grinnikte. 'Jij leert het echt nooit!'

'Heus wel, maar ik speel nog even voor sinterklaas.' Lachend klopte hij zijn baard uit, waardoor alle poedersuiker op zijn donkerblauwe ochtendjas viel, zodat hij het daar weer af moest kloppen.

'Ik ga me aankleden,' zei Marijke.

'Nu al. Blijf toch nog even rustig zitten genieten van onze rust!'

'Ik vind het veel te leuk dat ze komen.' Ze kwam overeind en liep de kamer uit, de trap op, en bleef peinzend voor de kledingkast staan. Meestal maakte het haar weinig uit wat ze aantrok. Ze was met al haar kleren tevreden, maar op de een of andere manier had ze het gevoel dat ze er vandaag extra netjes uit moest zien. Ze had Karin ruim drie weken niet gezien of gesproken. Dat was abnormaal lang. Ze wilde een goede indruk maken. Misschien was ze nog boos op haar, haar kleding mocht in elk geval geen aanleiding geven tot ruzie. Zorgvuldig koos ze voor een zwarte lange broek, een zachtgroene blouse en een zwart colbertje. Heel stemmig, maar tenslotte was het ook een soort van zondag vandaag: nieuwjaarsdag. Ze kon alleen beter geen oliebollen eten, want dan kwam ze er net zo uit te zien als Johan. Of ze moest de poedersuiker laten staan, dat was ook een optie.

Opgewekt kamde ze haar haren. Ze was zo blij en opgelucht. Natuurlijk moesten ze het nog wel uitpraten en dat zou vandaag waarschijnlijk niet lukken met Steven, Jolien, Sterre en Johan erbij, maar Marijke zou in elk geval zorgen dat zij vrolijk was en nergens over viel. Geen kwaad woord zou er over haar lippen komen. Dat mocht en zou niet gebeuren. Het was geweldig dat Karin de eerste stap wilde zetten. Hoewel die eigenlijk ook aan haar was, vond Marijke, want tenslotte was zij het geweest die haar de deur uit had gezet. Al vond Karin misschien dat Marijke de eerste stap moest zetten, omdat zij kritiek had gehad. Trouwens, die eerste stap had Marijke al een paar keer willen zitten, maar ze had haar dochter niet meer te spreken gekregen.

Precies om halfelf zat Marijke klaar in de stoel die uitzicht had op de straat, zodat ze meteen naar de deur kon rennen als ze de auto aan zag komen.

Johan was nog boven. Ze hoorde dat hij onder de douche stond. Er was ook nog tijd genoeg. Het koffiezetapparaat stond klaar, de schaal met oliebollen ook. Voor Jolien en Sterre had ze nog een appelflap, omdat ze vermoedde dat de meisjes die lekkerder zouden vinden. Ze keek naar buiten en was er helemaal klaar voor.

Maar wachten duurde lang. De wijzers op de klok kropen tergend langzaam vooruit. Maar om vijf voor elf zag ze een haar overbekende auto de straat indraaien. Ze sprong op, rende naar de keuken, drukte het koffiezetapparaat aan, riep naar boven dat ze er waren en rende naar de voordeur. Ze gooide hem wijd open en keek verheugd toe hoe Steven de meisjes hielp met uitstappen.

'Oma, oma!' gilde Jolien en rende op haar af, sprong in haar armen.

'Meisje, wat leuk je weer te zien. Gelukkig nieuwjaar.' Marijke kuste haar op haar wangen.

'Oma, oma!' Sterre trok aan haar broek.

Marijke zette Jolien neer en tilde Sterre op. 'Jij ook gelukkig nieuwjaar.'

'Tekening,' riep Jolien. 'Voor u!'

'Wat lief. Heb jij die gemaakt? Och, dat is een kerstboom. Wat mooi.'

'Oma moet kijken.'

'Dat doe ik toch.'

'Je moet alle details in de kerstboom bewonderen,' verduidelijkte Steven die bij hen was komen staan. 'Gelukkig nieuwjaar, ma.' Hij kuste zijn schoonmoeder en wees vervolgens op de tekening. 'Ze heeft er sterren en engelen en ballen in getekend.'

'Nou, daar ga ik dan zo eens goed voor zitten. Kom binnen.' Marijke keek langs Steven heen naar de auto, maar die was dicht. Het leek er ook niet op dat er nog iemand in de auto zat. Ze voel-

163

de haar hart een tel overslaan en haar knieën begonnen te knikken.
'Is Karin niet meegekomen?'
'Nee, die ligt met zware hoofdpijn in bed. Meteen vanmorgen al.
Ze vroeg of ik niet een poosje weg kon gaan met de kinderen,
zodat zij in alle rust nog een paar uur kon slapen.'
Marijke geloofde hier geen woord van. Het was gelogen. Ze voelde het tot in het diepst van haar hart. Karin verzon smoezen om
haar niet te hoeven zien en niemand had het door. Steven niet,
Johan niet, maar Marijke kon ze niet voor de gek houden. Met
lood in haar schoenen liep ze achter de anderen aan naar de
kamer, waar Johan ook juist naar binnen kwam. Ze legde de tekening op tafel en liep door naar de keuken, waar ze probeerde tot
rust te komen. Was Karin echt zo boos op haar dat ze haar nooit
meer wilde zien? Was het dan zo erg wat ze gezegd had? En wat
ook erg was, ze kon er met niemand over praten. Steven leek niet
te weten waarom Marijke geweest was, anders reageerde hij wel
anders. Blijkbaar had hij niets aan Karin gevraagd, toen zij hem
verteld had dat ze op een maandagavond bij Karin geweest was.
Of Karin had iets uit haar duim gezogen over dat bezoek. En
Johan wist het ook niet. Ze zuchtte, hield even haar handen onder
de koude kraan en schonk koffie in voor Steven en Johan en
appelsap voor de beide meisjes.
'Heeft ze dat wel vaker?' vroeg Marijke later met een bezorgd
gezicht aan Steven.
'Zelden eigenlijk, maar ze heeft de afgelopen weken hard
gewerkt. De meeste mensen waren vrij, maar zij moest vaak in
haar eentje het kantoor bemannen. Vannacht is het ook laat
geworden. Er kwamen allerlei buren langs bij mijn ouders na
twaalf uur en dat was erg gezellig. Jolien en Sterre lagen daar in
bed en sliepen zelfs door het vuurwerk heen. Het was vier uur
voor we thuis waren.'
'Vier uur. Ik dacht dat wij laat waren. Mijn ouders wilden tegen
enen naar bed, maar wij zijn nog even bij een paar mensen langs
geweest en waren vlak na drieën thuis.'

Marijke deelde oliebollen en appelflappen uit, maar de helft van het gesprek ging langs haar heen. Ze kon alleen maar aan Karin denken en toen Steven op een bepaald moment opstond om naar het toilet te gaan, liep zij naar de keuken, zogenaamd om een vaatdoek te halen. Via de keuken liep ze naar de gang om hem op te wachten.

'Ach, moest je ook,' zei hij lachend.

'Nee, ik wilde jou even onder vier ogen spreken. Ik maak me zorgen om Karin.'

'Omdat ze een keertje hoofdpijn heeft?'

'Nee, om de afgelopen maanden en ook door jou. Toen ik voorstelde dat Jolien en Sterre wel een weekend konden komen, zei jij dat je dat heerlijk leek. Jullie konden wel wat rust gebruiken, zei je. En toen je terugkwam van Terschelling en ik je vragend aankeek, haalde je je schouders op. Als om aan te geven dat je ook niet wist wat er met Karin was. Ze is de laatste tijd kortaangebonden, nors en volgens mij is ze zelfs hardhandig tegen de kinderen. En nu ook nog hoofdpijn? Steven, wat is er met haar?'

'Ma, er is niets. Oké, ik geef toe dat ze soms kortaf is en zelfs onaardig, maar ze heeft het gewoon erg druk. Eind april willen ze een feest geven omdat ze dan haar opleiding en stage heeft afgerond en zelfstandig advocaat wordt. Daar wordt ze ook niet rustiger van. Maar verder is er echt niets. We hebben een heerlijk kerstweekend gehad. Ze heeft gewoon af en toe wat rust nodig.'

Marijke wilde protesteren, vragen of hij dan niet wist dat ze haar kinderen pijn deed, maar ze had tegen Karin al te veel gezegd, die fout zou ze niet nog eens maken. 'Als het dan allemaal met drukte te maken heeft, kan ze dan niet wat hulp krijgen of minder lang werken of…'

'Ma, ze wil niet minder werken en daar kan ik me wel iets bij voorstellen. Ze is straks advocaat. Dan kun je niet zeggen: sorry, ik moet naar mijn kinderen.'

'Hoe moet dat dan als ze ziek zijn?'

'Ik ben er ook nog!'

Marijke zuchtte en schudde zachtjes haar hoofd. 'Toch maak ik me zorgen.'

'Dat weet ik,' zei Steven tot haar verrassing. 'Karin vertelde me dat je geweest bent om met haar te praten. Maar echt, je hoeft je geen zorgen te maken. Alles is goed.'

'Kom op, doe eens beter je best,' vond Steven. 'Het is voor het grote feest van oude opa en oma.'

'Die van mij is mooi,' zei Jolien en liet hem trots zien wat ze getekend had. Twee mensjes op een bank in het gras.

'Prachtig,' zei Steven. 'Misschien kun je er nog wat ballonnen bij maken? Voor het feest.'

'Ze moeten naar bed,' zei Karin, die met een arm vol strijkgoed de kamer in kwam.

'Nog vijf minuutjes. Ze zijn bijna klaar.'

'Niks vijf minuutjes. Tijd is tijd. Kom op, Jolien en Sterre, naar bed. Maak de tekening morgen maar af.'

'Ik wil niet sapen,' zei Sterre. 'Teke voor opa.'

'Morgen.'

Jolien zag de bui al hangen en haastte zich naar de deur. Ze was echter iets vergeten.

'Kom terug, jij,' riep Karin. 'Eerst opruimen!'

Jolien haastte zich terug naar de tafel, greep de kleurpotloden bij elkaar en stopte ze in de doos.

'Ik ruim de tekening zo wel op,' zei Steven, 'want die moet netjes blijven. Kom, Sterre, geef mij dat kleurpotlood eens.'

'Nee,' zei Sterre. 'Wil teke!'

'Morgen. Je hebt gehoord wat mamma gezegd heeft.'

'Mamma tout.'

'Sterre!' riep Karin. Ze greep haar beet en sleurde haar aan haar arm de kamer uit. Sterre krijste en Jolien rende er met grote angstige ogen achteraan. Opeens hoorde Steven de stem van zijn schoonmoeder weer. 'Ik maak me zorgen,' had ze gezegd. En waarschijnlijk was dat niet onterecht. Ook hij haastte zich naar boven om de kinderen te behoeden voor een klap of een kneep in hun arm of been. Opeens realiseerde hij zich dat hij dit de laatste tijd vaker gedaan had. Het was zo sluipend gekomen, dat hij het amper door had gehad. Karin was gewoon steeds vaker kortaf en dat moesten de kinderen dan ontgelden. Hij probeerde haar zoveel mogelijk te ontlasten, maar dat lukte niet altijd. Zijn schoonmoeder had gewoon gelijk en zijn reactie was verkeerd geweest. Hij had haar zorgen willen wegwuiven, maar het ging inderdaad niet goed met Karin. Of wist hij dat al die tijd al, maar schaamde hij zich ervoor en wilde hij het niet toegeven?

'Tanden poetsen,' zei Karin dwingend tegen de meisjes in de badkamer, terwijl ze van ieder een oor vasthield.

'Au!' gilde Jolien. 'Mamma, au!'

Steven liep op haar af, legde zijn hand op haar schouder en zei zacht: 'Laat mij het toch doen. Jij hebt nog zoveel strijkgoed.'

'Ik had er ook op gerekend dat jij het zou doen, maar je liet ze gewoon doorgaan met tekenen en tijd is tijd. Als ze eenmaal een paar minuten later mogen, denken ze dat ze dat altijd mogen. Als ouders moet je consequent zijn.'

'Dat ben ik met je eens, maar nu kan ik het verder wel.'

Ze keek hem woest aan, maar tot zijn opluchting liet ze de kinderen los en liep de trap af.

Natuurlijk had hij ze naar bed gebracht als ze de tekeningen af hadden. En die waren bijna klaar geweest! Wat deden die paar minuten ertoe? Die tekeningen waren belangrijk. Steven begreep niet waarom Karin er zo'n drukte over maakte. Ja, tijd was tijd, dat wel, maar soms moest je een uitzondering maken.

Nadat hij nog wat had voorgelezen, kwam hij weer in de kamer, waar Karin driftig aan het strijken was.

'Kun je geen kreukvrije overhemden kopen?' sneerde ze.

'Weet je wat nog handiger is? Dat ik ze zelf strijk. Laat mijn overhemden maar liggen, die doe ik straks als jij klaar bent. Ik ga koffiezetten.'

Met twee mokken in de hand kwam hij weer terug. De strijkbout was uit, de televisie stond aan. Hij ging naast haar zitten. 'Karin, zo kan het niet langer.'

'Wat niet?'

'Je bent zo onaardig tegen de meisjes en tegen mij.'

'Dat valt best mee. Ik vind alleen echt dat we consequent moeten zijn. Ze moeten weten dat er met ons niet te sollen valt.'

'Dat ben ik wel met je eens, maar zie je dan niet dat ze bang voor je zijn?'

'Des te beter, dan doen ze tenminste wat ik zeg.'

'Karin, dat wil ik niet. Ik wil niet dat mijn kinderen bang zijn voor hun moeder.'

'Tja, wat doe je eraan?'

'Dat weet ik wel.'

'Hè?' Ze keek hem honend aan.

'Wij gaan samen hulp zoeken. Iemand die ons kan begeleiden in ons huwelijk, ons gezin.'

'Jij bent gek, zeg. Je denkt toch niet echt dat ik meega?'

'Ja, dat denk ik wel, want als je het niet doet, wil ik van je scheiden.'

Ze keek hem met grote ogen aan, maar schoot toen in de lach. 'Je kunt de kinderen misschien voor de gek houden, maar mij niet. Weet je nog wat je vannacht in bed tegen me zei? Ha, dat ik zo heerlijk was en sexy en allemaal van dat soort dingen. Jij wilt helemaal niet scheiden.'

'Ik wil dat jij weer de Karin wordt van wie ik was gaan houden.'

'Ander keertje, hoor. Nu moet ik nog zo'n stom A4'tje zien vol te maken voor het feest van opa en oma. Wat heb jij erop gezet?'

Steven zuchtte, maar besloot nu niet verder aan te dringen. Hij was voor zijn doen al erg ver gegaan en hij zou zeker eens gaan zoeken wat voor soort hulp ze het beste konden vragen. 'Ik heb een aantal titels van boeken op een rijtje gezet. Ze lezen toch zo graag. En samen vormen die titels een soort van gedicht. Uit een catalogus heb ik allemaal afbeeldingen van boeken geknipt. Die heb ik erbij geplakt.'

'Origineel. Wat moet ik nou nog bedenken? Ik wou dat ik een kind was, dan kon ik gewoon een stomme tekening maken.'

Marijke keek verrast naar de vier A4'tjes in de envelop van Karin. Wat zag dat er leuk uit! Vooral Karin had haar best gedaan. Ze had herfstbladeren uit de tuin opgeplakt en daar tussendoor en overheen allemaal gezellige bloempjes, geknipt uit tijdschriften. Het leek een schilderij van het leven. De lente, zomer, herfst. Het paste precies bij haar ouders, die ook erg van de natuur hielden. Ze glimlachte. Lief, dat Karin er zo veel tijd in had gestoken. Ze zag best dat het handschrift op de envelop van Steven was, maar Karin had duidelijk haar bijdrage zelf gemaakt. Daar was ze blij om. Ze had haar nu al zo lang niet gezien, dat ze bang was dat het nooit meer goed zou worden, maar dit A4'tje gaf haar goede hoop.

Ook de tekeningen van Jolien en Sterre waren mooi geworden. Ze zag dat Jolien er allemaal ballonnen bij getekend had. Feest dus. En dat moest het ook worden. Zo vaak kwam de hele familie niet bij elkaar en zo vaak zou het niet meer gebeuren ook. Haar ouders waren allebei bijna tachtig. Het was prachtig dat dit nog kon. En dus moest het een feestelijk weekend worden.

Ze haalde de andere A4'tjes tevoorschijn die ze al ontvangen had en spreidde ze uit over de tafel. Gelukkig hadden haar broer en zus en hun kinderen en kleinkinderen ook meegedaan. Ze had ze nu bijna allemaal binnen. Van iedereen een A4'tje. Het zou samen een prachtig boek worden. Haar ouders wilden geen cadeaus. Ze hadden geen wensen meer. Het enige cadeau dat ze wilden hebben, was dat ze allemaal kwamen. Maar Marijke had dat wel erg kaal gevonden en had bedacht om dit boek te maken. Bovendien had ze iedereen gevraagd één bloem mee te nemen, voorzien van een kaartje met de naam van de gever erop. Dat zou dan een heel bont boeket worden en hopelijk de feestvreugde verhogen.

'Heb je ze allemaal?' Johan kwam binnen met twee kopjes koffie en wilde Marijkes kopje op tafel zetten.

'Nee, niet daar. Zet maar op de salontafel,' riep Marijke geschrokken uit. 'Ik moet er niet aan denken dat ik ze verknoei met een druppel koffie.'

Johan lachte. 'Dan ken jezelf niet goed. Dat zou nooit gebeuren, zo'n pietje precies als jij bent!' Toch zette hij netjes haar koffie op het kleine tafeltje.

'Kijk, dit hebben Karin, Steven en de kinderen gestuurd.'

'Mooi!' Johan bekeek de papieren bewonderend. 'Het kan niet anders dan een prachtig boek worden.'

'Dat dacht ik ook. En zo afwisselend. Tekeningen, gedichten, verhalen, plakwerkjes. Dat is het leuke ervan. Iedereen heeft zijn eigen manier van creatief zijn en dat kun je nu goed zien.'

'Ik zat er nog over te denken om een lied te schrijven,' zei Johan. 'Een gemakkelijk lied, zodat we allemaal mee kunnen zingen.'

'Dat is leuk,' zei Marijke verrast. 'Wat een goed idee.'

'Vind je wel?'

'Ja, natuurlijk. Geweldig zelfs. Dat zouden we dan kunnen zingen als ze binnenkomen of zo.'

'Binnenkomen?'

'Ja, ik had bedacht dat wij maar allemaal eerst moeten komen, voordat zij komen. Dat leek me gewoon erg leuk. Ik heb gebeld naar Boschlust om te vragen of ze ook een grote ruimte hebben.' Marijke lachte bij de herinnering. 'Die was al gereserveerd, zeiden ze, maar toen ik doorvroeg, bleek dat vader en moeder die gereserveerd hadden! Het is in het restaurant en daar hadden ze om halfelf een koffietafel besteld. Dus als wij nu zorgen dat we er eerder zijn, kunnen we ze met een lied verwelkomen.'

'Klinkt goed. Ik had zelfs al een paar regels bedacht, maar dan ga ik er nu serieus werk van maken.'

Ze schrokken op van de telefoon die begon te rinkelen. Johan zat er het dichtst bij en hij nam op. 'Ach, zwager, hoe is het?'

Marijke was nieuwsgierig welke zwager dit was. Het kon immers haar broer zijn, maar ook de man van haar zus. Toch kon ze uit de klank van Johans stem en uit zijn woorden niets opmaken.

'Het is je broer,' zei Johan. 'Hij had een heel aardig voorstel, maar het kost wel wat geld, dus hij wil even overleggen.'

'O?'

'Hij zegt dat je ouders in een koetsje getrouwd zijn en het leek hem leuk ze met een koets van huis te halen.'

'Inderdaad heel leuk, zeg,' zei Marijke spontaan, maar haar gezicht betrok. 'Weet hij wel hoe ver het van hun huis naar Boschlust is? Dat is een hele rit en per koets duurt het ook erg lang.'

Johan gaf door wat ze gezegd had, luisterde even en knikte toen. 'Oké, we wachten af.' Hij legde de hoorn weer neer.

'Wat?'

'Hij gaat bedenken of het anders kan, want je hebt gelijk. Dan moeten ze wel erg vroeg van huis.'

'Ik heb een idee,' zei Marijke opeens stralend. 'Dat moeten ze wel leuk vinden.'

Johan keek haar nieuwsgierig aan, maar ze lachte alleen maar geheimzinnig en zei niets.

Haar broer vond het idee echter net zo leuk en daarom verzamelden ze zich allemaal rond tien uur in het restaurant van Boschlust. Sommigen hadden vast naar hun huisje gewild om de bagage uit te laden, maar de eigenaars wilden hun de sleutels niet geven. Die gaven ze alleen aan het echtpaar dat de huisjes besteld had, het feestvierende echtpaar dus.

'Oké,' zei Marijkes broer. 'Let op. Dit is de route die het koetsje gaat volgen.' Hij wees op ccn plattegrond, die hij zelf gemaakt had. 'De afspraak is dat ze precies om kwart over tien vertrekken. Het is vrij simpel.' Hij legde uit wat precies de bedoeling was en verdeelde alle aanwezigen over de diverse posten. 'De bloemen niet vergeten,' riep hij ze na toen ze naar buiten liepen.

Ondertussen zaten vader en moeder in een taxi die hen in de richting van het bungalowpark bracht, maar plotseling stilhield. De chauffeur stapte uit en deed het achterportier open om hen ook uit te laten stappen.

'Wat is er?' vroeg moeder. 'We zijn er nog niet.'

'Dat klopt, maar ik heb geen benzine meer, dus u zult de rest met ander vervoer moeten doen.'

'Geen benzine meer?' riep vader geërgerd uit. 'Dat kan toch niet? Je wist al dagen van tevoren dat je ons zou ophalen.'

De man grijnsde en verzocht hen nogmaals uit te stappen.

'Als we maar niet het hele eind hoeven lopen,' zei moeder met een blik op haar nieuwe schoenen.

'Kijk nou eens,' zei vader verrast. 'Een koets. Prachtig, zeg. Weet je nog?' Hij keek zijn vrouw vol warmte aan.

'Natuurlijk weet ik dat nog,' zei ze lachend. 'Nou, waar is die andere taxi? We hebben niet de hele dag de tijd.'

'Dat is uw taxi,' zei de chauffeur, en hij wees op de koets.

'Eerlijk?'

'Ja, eerlijk. Ik zal u even helpen met instappen.'

De koetsier tikte beleefd aan zijn pet toen de twee oude mensen op hem afkwamen. 'Welkom aan boord,' zei hij opgewekt. Ze stapten in en gingen een beetje beduusd naast elkaar zitten. 'Het is net zo'n koets als waarin wij getrouwd zijn,' zei moeder.

'Inderdaad. Weet je, toen hadden we de raampjes open, zodat we de mensen buiten konden horen juichen.' Hij boog zich naar een raampje en probeerde het open te krijgen. De bovenste helft klapte naar beneden. 'Ha, het werkt ook nog net zoals vroeger.' Hij boog zich over zijn vrouw heen om haar raampje ook te openen.

'Is het niet te koud voor open raampjes?'

'Ik hou je wel warm,' zei hij liefdevol en sloeg een arm om haar heen.

'Ik heb toch liever dat je de raampjes weer dichtdoet. Het is ook nergens voor nodig, want er staat nergens iemand te juichen.'

'Kunnen we?' riep de koetsier.

'Ja,' riep vader, 'we zitten!'

Ze voelden een kleine schok en de paarden begonnen te lopen. Moeder glunderde en stak haar arm door die van haar man. 'Wat leuk, zeg. Wie zou dit bedacht hebben?'

'Ja, wil je de raampjes nu open of dicht?'

'Ach, laat ook maar. Hou mij maar gewoon vast, dat is veel

belangrijker. Toen waren we nog zo jong en verliefd...'

'Nu niet meer? Ik ben in al die jaren alleen maar meer van je gaan houden, hoor!'

'Je bent lief,' zei ze tegen hem en drukte snel een kus op zijn wang.

'Oma, opa, gefeliciteerd!' hoorden ze opeens roepen.

Ze keken verrast op. Plotseling liep er een kleinkind naast de koets en stak een bloem naar binnen. 'Veel plezier vandaag, oma en opa!'

'Saskia, wat doe jij hier nou?' riep oma uit.

'Is Jeroen er ook?' riep opa door het raampje.

'U blijft flauw,' zei Saskia lachend. 'Zelfs op uw tachtigste nog.'

De oude man grijnsde, maar hij kon er gewoon niets aan doen. Als hij de naam Saskia hoorde, moest hij altijd aan Jeroen denken. Ze hadden die boeken vaak voorgelezen aan hun kinderen en voor hem kon Saskia niet zonder Jeroen.

'Opa!'

'Jeroen!' riep hij dan ook verrast.

'Opa, toch,' zei oma lachend.

'Oké, Peter dan maar.'

'Gefeliciteerd, opa en oma.' Ook hij stak een bloem naar binnen. 'Kijk daar eens,' zei oma glunderend. 'Daar staat Tim van Marijke met een van zijn kinderen.'

Het bleek dat langs de hele route familieleden stonden die hen toejuichten en feliciteerden en bloemen gaven.

De twee mensen kwamen stralend aan en Marijke zag in een oogopslag, dat hun plannetje in zeer goede aarde gevallen was.

'Dank jullie wel,' zei de oude vrouw zodra ze uitgestapt was. 'Ik weet niet wie dit bedacht heeft, maar het was geweldig.'

Ondertussen was de hele schare naar binnen gegaan en toen de twee jubilerende mensen de grote zaal binnenkwamen, stak Johan zijn hand op en begonnen ze vol enthousiasme het welkomstlied dat hij geschreven had te zingen.

Moeder kreeg tranen in haar ogen, zag Marijke ontroerd. Ook dit was dus een goed idee geweest. Het weekend begon goed. Toch voelde ze zich niet gelukkig, want Karin was er niet.

'Wat heeft ze dan, Steven?' vroeg Marijke bezorgd.
'Hoofdpijn, zei ik toch. Hoofdpijn en overgeven. Als ze nog opknapt komt ze later, of anders morgen.'
'Heb je de dokter gebeld? Als het zo erg is, moet die toch komen?'
'Dat heb ik voorgesteld, maar dat wilde ze niet. Het was niets ernstigs, zei ze. Het ging vanzelf weer over, maar ze moest naar bed en slapen. Ik vind het ook heel vervelend, maar het is nu eenmaal zo.'
'Mijn ouders wilden maar één cadeau,' zei Marijke diep teleurgesteld, 'en dat was dat we er allemaal zouden zijn.'
'Dit is overmacht, ma. Je denkt toch niet dat ze met plezier heeft staan overgeven vannacht. Op het laatst had ze niets meer om over te geven. Dat klonk zo afschuwelijk en ik weet dat dat ook heel zeer doet aan je slokdarm.'
Marijke knikte. Ze bekeek Steven onderzoekend, maar ze had niet de indruk dat hij haar wat voorloog. 'Dan moeten we maar hopen dat ze snel weer opknapt en straks nog komt.'
Steven knikte. 'Ik ga naar het zwembad. Kom je ook?' Hij liep opgewekt weg. Marijke zag hoe hij Jolien en Sterre bij de hand pakte en uit haar zicht verdween.
'Wat kijk jij somber,' klonk opeens de stem van Marijkes moeder.
'Ach, moeder, ik vind het zo jammer dat Karin er niet is.'
'Dat is ook zo, maar onze gezondheid hebben we niet in de hand. Ze belde ons vanmorgen in alle vroegte op om te zeggen dat ze ziek was en in bed bleef, maar ze wilde ons toch vooral wel een heel fijn weekend wensen.'
'Weekend? Steven zei dat ze misschien later nog komt.'
'Die indruk had ik niet van haar, maar dat zou mooi zijn. Ze hoort er natuurlijk wel bij. Zonder haar zijn we niet compleet. Maar je moet je stemming er niet door laten bederven, hoor. Ik had

trouwens toch niet verwacht dat we vandaag al compleet zouden zijn. Het is vrijdag en de meeste volwassenen moesten er vrij voor nemen en ik had niet gedacht dat alle kinderen vrij van school zouden krijgen voor zoiets. Dus de opkomst is ook zonder Karin veel hoger dan ik verwacht had!' Moeder keek opgetogen, maar trok vervolgens een ernstig gezicht en keek om zich heen of iemand hen kon horen. Maar ze stonden helemaal alleen ergens midden tussen de huisjes op het pad richting zwembad en zagen verder niemand op dat moment. 'Ik heb het je al zo vaak willen vragen, maar meestal was vader erbij of Johan. Héb je nou eigenlijk met Karin gepraat of niet?'

Marijke schrok van de vraag, want dit was toch echt niet de gelegenheid om daarover te praten. Ze wilde voor geen goud het feest van haar ouders verpesten. Ze knikte aarzelend.

'En?' vroeg moeder belangstellend.

Marijke haalde haar schouders op. 'Ze vond het niet echt prettig dat ik er wat van zei, maar ze zou erover nadenken,' loog Marijke. Iets beters wist ze zo snel niet te verzinnen.

'Dat klinkt toch goed,' zei moeder blij. 'Dus het is niet zo'n toestand geworden als bij mij destijds.' Glimlachend liet ze haar blik over het terrein glijden waar toevallig zowel Marijkes zus als broer aan kwamen lopen. Marijke trok een grimas. Nu wist ze nog niet over wie haar moeder het gehad had.

'Mooi, Marijke. Ik ben blij dat erover te praten viel, zonder toestanden.' Ze lachte en schudde haar hoofd. 'Het is feest. Kom, laten we onze feestmutsen opzetten en naar het zwembad gaan. Ik wil al die achterkleinkinderen van ons weleens in het water zien spartelen.'

Natuurlijk werd het ook zonder Karin een geweldig weekend, waarin veel gepraat en gewandeld en gespeeld werd. 's Avonds kregen ze een heerlijk diner en zong een van de achterkleinkinderen een lied, terwijl ze door haar vader op de gitaar begeleid werd. Oma moest vertellen hoe ze elkaar hadden leren kennen. Ze vierden immers niet hun trouwdag, maar het feit dat ze elkaar zestig jaar geleden voor het eerst ontmoet hadden.

Toch kon Marijke haar dochter niet vergeten. Ze was er eigenlijk zeker van dat Karin helemaal niet ziek was. Dat ze dat van haar dochter durfde te denken, vond ze afschuwelijk en als ze gelijk had, was het helemaal afschuwelijk. Het lukte Marijke dan ook niet om voor de volle honderd procent van dit feest te genieten. En het aller-, allerergste was dat zowel de beentjes van Sterre als van Jolien onder de blauwe plekken zaten. Nog vóórdat ze van de glijbaan gegleden waren.

HOOFDSTUK 16

'Ha, zuster, fijn dat u zo vroeg bent. Ga zitten.' Mevrouw Tuinstra liep voor haar doen bedrijvig door de keuken om koffie in te schenken voor haar gast. Stralend haalde ze een schoteltje met een gebakje van het aanrecht en zette dat voor Marijke neer.

'Een echte moorkop,' riep die uit. 'Die heb ik lang niet meer gehad.'

'En er zit slagroom in, niet van dat vieze gele spul.'

'Heerlijk, hoor.'

'Ik zei vorige week toch dat ik een verrassing voor u had.'

'Dat klopt. En daarom heb ik ook een verrassing voor u.'

'Dat is toch niet nodig!'

'Natuurlijk wel. Als u uw verjaardag met mij wilt vieren, moet ik wel een kleinigheidje voor u meenemen.'

'Mijn verjaardag?'

'Ja, sorry hoor, maar toen u zei dat ik vandaag even extra tijd voor u vrij moest maken, omdat u een verrassing had, heb ik even in uw papieren gekeken en ontdekte ik dat het vandaag uw verjaardag is. Van harte gefeliciteerd, mevrouw Tuinstra, en een heel gezond nieuw levensjaar gewenst.'

'Dank u.' Nieuwsgierig nam ze het pakje van Marijke aan. 'Dat had u echt niet hoeven doen.'

'Het stelt ook niet veel voor, hoor.'

Met trillende vingers maakte ze het strikje los en daarna het plakband. Opgetogen haalde ze er twee vogeltjes uit. 'Ach, het zijn kaarsjes. Maar dat is toch jammer om die aan te steken. Ik zet ze mooi op het dressoir. Ik ben gek op vogels.'

Marijke glimlachte, want dat wist ze al jaren. 'Maar als u er toch zat van bent, kunt u ze aansteken en zijn ze binnen een paar uur verdwenen.'

'Dat doe ik echt niet. Ik vind het veel te lief dat u iets voor mij hebt meegenomen. Nu zal ik gauw koffie inschenken.'

'Laat mij dat nou maar eens doen. Vandaag moet u zich laten

verwennen.' Marijke kwam overeind en schonk twee van de kopjes, die al klaarstonden, vol. 'U wilt graag suiker en melk, denk ik?'

'Ja, gekookte melk.'

'Ik zie het.' Het pannetje stond al op het fornuis en het kleine beetje melk kookte snel. Ze schonk het bij de koffie en zette de kopjes op tafel. 'Komen uw kinderen nog? Waarschijnlijk is dat lastig op een doordeweekse dag.'

'Ze komen vanmiddag en halen tegen vijf uur eten van de chinees.'

'Dat is pas echte verwennerij,' vond Marijke lachend. 'En de buurvrouw?'

'Die kan elk moment komen. Ik heb haar voor halfelf uitgenodigd. Ik hoop dat u zo lang nog blijft. Het leek me zo leuk als u haar eens kon ontmoeten. U bent echt vroeger dan ik verwacht had.'

Marijke knikte. 'Zo lang blijf ik nog wel, want ik wil haar ook weleens zien. Gaat het goed met hen?'

'Het gaat ongelooflijk en ik heb er bijna een vriendin door gekregen. Dat is wat moeilijk om te zeggen als er ruim zestig jaar verschil tussen ons zit, of misschien wel bijna zeventig, maar ik ben tegenwoordig heel blij met haar als buurvrouw. Ze heeft trouwens nu wel ruzie met haar ouders. Daar waren ze laatst en Tobias deed iets wat niet mocht van haar moeder en die gaf hem zomaar een flinke klap tegen zijn hoofd. Annet zei dat dat niet mocht. En toen werd haar moeder kwaad. Ze bepaalde zelf wie ze sloeg. Het was haar huis. Annet probeerde eerst nog zo rustig mogelijk uit te leggen dat zij ermee gestopt waren elkaar te slaan, maar moeder wilde nergens naar luisteren en begon zelfs Annet te slaan. Het was haar huis en daarin was zij de baas. Toen is Annet opgestaan, heeft Tobias opgepakt en ze zijn weggegaan.'

'Wat dapper, zeg.'

'Dat zei ik ook. Ik heb bewondering voor haar. Ze doet zo haar best. O, daar zul je haar hebben.'

'Zal ik even?'

'Nee, nee, ik kan het zelf nog.' Moeizaam kwam ze overeind en liep de keuken uit. Marijke hoorde de schelle stem van Annet een felicitatie roepen, maar ze viel meteen stil toen ze zag dat er al bezoek was. 'Ben ik te vroeg?' vroeg ze haast verlegen.

'Nee, dit is zuster Marijke. Ze komt hier al jarenlang eens per week. Ze is hier kind aan huis en hoort bijna bij het meubilair,' zei mevrouw Tuinstra lachend. 'En dit is dus mijn buurvrouw Annet.' Marijke stond op om haar de hand te schudden. 'Leuk je te ont- moeten,' zei Marijke, maar verder hield ze zich in, want het was natuurlijk niet leuk voor Annet als ze erachter kwam dat mevrouw Tuinstra haar alles over haar verteld had.

'Is Tobias naar school?' vroeg mevrouw Tuinstra.

'Ja, sinds hij op de basisschool zit, gaat hij elke morgen en vaak ook 's middags.'

'Hoeveel kinderen heb je?' vroeg Marijke belangstellend.

'Eentje, een jongen. Hij is net vier. Hebt u ook kinderen?'

'Ja, twee, maar die zijn al jaren het huis uit en hebben zelf alweer kinderen.'

Mevrouw Tuinstra zette een kopje koffie en even later ook een gebakje voor Annet neer.

'Hm, lekker, hoor. Dank u.'

'Wij zijn afgelopen weekend uit geweest,' vertelde Marijke om de stilte die viel op te vullen. 'Mijn ouders, die allebei ongeveer tachtig zijn, hadden een aantal huisjes gehuurd omdat ze zestig jaar getrouwd waren.' Tja, dat was niet helemaal waar, maar alle details hoefden ze niet te weten, toch?

'Wat een leuk idee,' zei mevrouw Tuinstra. 'Dat hebben Karel en ik helaas niet gehaald, we hebben nog net onze 55e trouwdag kun- nen vieren, maar ook samen met de kinderen. Was iedereen er?'

'Het was heel druk, ja. Mijn ouders hebben drie kinderen, zeven kleinkinderen en elf achterkleinkinderen.'

'Wat grappig,' lachte Annet.

'Wat bedoel je?'

'Nou, als je dat bij elkaar ziet. Twee mensen die gingen trouwen en dan is na zestig jaar dat het resultaat. Dat bedenk je toch niet als je gaat trouwen? Ik niet. Ik was blij dat Tobias kwam, maar ik heb er nog nooit over gedacht dat hij misschien ook kinderen krijgt en die ook weer. Hoe zit dat bij u, buurvrouw? U hebt twee kinderen en?'

Mevrouw Tuinstra knikte. 'Ja, twee kinderen, drie kleinkinderen, zeven achterkleinkinderen en... ik heb zelfs twee achterachter-kleinkinderen.'

'Hè?' zei Annet, terwijl ze haar wenkbrauwen fronste.

'Ja, mijn zoon Frits is 71, die kreeg twee kinderen. De oudste is nu 48, een meisje, nee, een vrouw natuurlijk, maar in mijn ogen blijven ze kinderen. Zij kreeg ook weer kinderen, waarvan de oudste nu 26 is, en die heeft alweer twee kinderen. De ene is twee jaar en de jongste is drie maanden. Dat zijn achterachterkleinkin-deren dus.'

'Wat bent u dan van hen?'

'Ik ben hun betovergrootmoeder.'

'Wat een raar woord,' vond Annet.

'Hebt u die baby al gezien?' vroeg Marijke, die zich dat niet kon herinneren, maar ze moest tegelijk toegeven dat ze lang niet elke week met mevrouw Tuinstra sprak, omdat ze toch vaak haast had.

Mevrouw Tuinstra schudde haar hoofd. 'Zo'n reis kan ik echt niet meer maken, maar ze komen vanmiddag en daar verheug ik me op.'

'Wat leuk, zeg.' Marijke kwam overeind. 'Ik vind het heel gezel-lig, maar ik kwam hier wel om te werken.'

'Dat is ook zo. Helemaal vergeten.' Mevrouw Tuinstra rolde haar mouw op, terwijl Marijke de stuwband en een spuit tevoorschijn haalde.

'Wat gaan jullie doen?' riep Annet verschrikt uit.

'Ze moet een buisje bloed van me hebben,' zei mevrouw Tuinstra. 'Dat moet elke week getest worden. Ik heb trombose en dan kij-ken ze hoe het met de stolling van het bloed is en soms moeten mijn medicijnen aangepast worden.'

'Gaat u dat gewoon hier aan tafel doen?'

'Ja,' zei Marijke met een ernstig gezicht, 'maar je mag best even naar de gang gaan, hoor.'

Annet stond opgelucht op en liep weg.

Mevrouw Tuinstra lachte. 'Dat is me toch wat,' zei ze zachtjes. 'Slaat haar kind bont en blauw en is bang voor een beetje bloed.'

'Dat zie je wel vaker,' zei Marijke.

'Maar nu kan ik mooi mijn vraag nog even herhalen,' ging de oude dame verder. 'Was iedereen er op het feest van uw ouders, want die vraag hebt u keurig ontweken.'

Marijke zuchtte en opeens stonden haar ogen intens verdrietig. 'Nee, mijn dochter was er niet.'

'Dat dacht ik al, want al was u vrolijk, uw ogen lachten niet van harte mee.'

Blijkbaar was dat Johan ook opgevallen...

Marijke zat in de hoek van de bank met opgetrokken knieën in een boek te kijken. Ze was van plan een paar hoofdstukken te lezen, maar ze kon zich niet concentreren. Ze móést aan Karin denken. En daarbij kwam, dat ze zich ontzettend schuldig voelde over alles wat er gebeurd was. Vorige week had ze er nog eens uitgebreid met Edith over gesproken. Karin was namelijk het hele weekend niet naar Boschlust gekomen. Marijke had haar nog gebeld vanaf het bungalowpark. Natuurlijk alleen maar met de bedoeling om belangstellend te vragen hoe het met haar ging en of ze al wat opknapte. Karin had echter niet opgenomen. Ze nam wel op toen Steven belde. Ze kon immers zien wie er belde. En dat had Marijke enorm pijn gedaan. Toch nam ze Karin niets kwalijk. Ze vond dat ze overal zelf schuld aan had, maar wist niet hoe ze het weer goed moest krijgen.

Edith bleef echter bij haar mening dat Marijke er goed aan gedaan had om het ter sprake te brengen. 'Waarom voel ik me dan zo ellendig?' had ze bijna snikkend gezegd. Ze wilde dat ze er ook met Johan over kon praten. Naar hem toe schaamde ze zich ook. Dat ze iets achter zijn rug om gedaan had en er eigenlijk zelfs om loog. Hoe dan ook, ze was net – het was maandagavond, de avond waarop Steven altijd naar de sportschool ging – weer naar Karin gereden. Johan ging even naar haar ouders, die hadden gebeld en gezegd dat ze een klusser nodig hadden. Marijke kon wel juichen bij dat telefoontje, maar van die jubelstemming bleef niets meer over toen ze voor de deur van Karins huis stond. Stevens auto was er niet en ze wist zeker dat ze de televisie hoorde, maar nadat ze drie keer langdurig aangebeld had en er nog niet opengedaan was, was ze intens verdrietig weer naar huis gereden. Daar was ze dus op de bank gekropen met een boek, maar van lezen kwam totaal niets.

Ze keek op omdat ze Johan terug hoorde komen. Ze glimlachte naar hem, maar zocht meteen met haar ogen de letters in het boek weer op. Ze wilde niet dat hij aan haar kon zien dat ze verdrietig was.

'Is het gelukt?' mompelde ze.

'Ja, het stelde niets voor. De lamp in de gang deed het niet meer, je weet wel, die plafonnière. Ze durfden echter geen van beiden meer op het trapje te klimmen – en daar geef ik ze groot gelijk in, hoor, veel te gevaarlijk, oude mensen hebben zomaar iets gebroken – dus heb ik er even een nieuwe lamp ingedraaid. Maar natuurlijk moest ik wel koffie blijven drinken.' Hij lachte. 'Heb jij al gehad?'

'Ik hoef niet, ik neem zo een glaasje sinaasappelsap.'

'Blijf maar lekker zitten, dat haal ik wel voor je op.'

Kijk, dacht ze, dat was nou juist zo erg. Hij was zo lief, terwijl zij een geheim voor hem had.

Hij kwam al snel terug en had voor zichzelf een flesje bier meegenomen. Hij ging naast haar zitten en streelde haar been. Ze deed haar best om door te lezen. Ze wilde niet opkijken, ze wilde niet met hem praten. Haar ogen stonden nog te droevig, ze voelde het.

'Hoe lang kennen wij elkaar nou?' vroeg hij.

'Hm?'

'Ja, in welke klas kregen we voor het eerst contact? Was dat de vierde of de vijfde?'

Ze reikte naar het glas sap, zodat ze hem nog steeds niet aan hoefde kijken. Ze nam een slok. 'Ik dacht dat we er altijd van uitgegaan waren dat we tien waren toen we elkaar leerden kennen, toch?'

'Ja, oké, maar welke klas was dat?'

'Hm, met zes naar de eerste klas, dus klas vijf.'

'Volgens mij werd ik in de vierde klas tien.'

'Joh, dat weet ik niet meer zo precies, hoor.'

Hij lachte. 'Het is ook volkomen onbelangrijk Ik wilde alleen maar aangeven dat ik je erg lang ken en dat ik zelfs wel durf te zeggen dat ik je door en door ken.'

'Dat denk ik ook wel, ja, en pas op,' zei ze met een soort van dreiging in haar stem, 'dat is wederzijds.'

'Als dat zo is, weet je ook dat ik me zorgen maak.'

'O?' Nu klapte ze haar boek dicht, zette haar voeten op de vloer en keek hem aan. 'Waarom? Wat is er?'

'Dus dat wist je niet?'

'Nee, sorry, dat is me ontgaan. Is er iets gebeurd? Heb je ontslag gekregen? Johan, je maakt me aan het schrikken.'

'Je zit ernaast en ik weet wel waarom je het niet doorhebt. Jíj hebt namelijk zorgen, zware zorgen, en blijkbaar wil je die niet met me delen. Daar maak ík me dus weer zorgen over. Marijke, lieverd, wat is er toch aan de hand? En waarom vertel je het me niet?'

Ze keek hem aan. Ze had geen idee dat ze zo'n open boek voor hem was geweest.

'Je bent al weken niet helemaal jezelf. Misschien wel langer zelfs. Je bent vrolijk als ik thuiskom, hebt hele verhalen over je patiënten, maar je ogen lachen niet. Er is iets. Dat is op zich al erg. Maar dat je het me niet vertelt, dat baart me nog meer zorgen.'

Ze zuchtte en zweeg.

'Ik heb de hele tijd gedacht: ze vertelt het wel als ze eraan toe is, maar het duurt nu wel erg lang.'

Ze keek naar zijn hand, die nu op haar knie lag.

'Weet je, Marijke, als ik zie dat jij het moeilijk hebt en je zegt niet waarom, dan gaan mijn gedachten alle kanten op. Ik heb me al de gekste dingen in het hoofd gehaald.'

'Waarom? Dat is toch niet nodig?'

'Wil je bij me weg? Is dat het wat je zo bezwaart, maar niet durft te zeggen?'

'Bij je weg? Johan, nooit!'

'Niet?'

'Nee,' riep ze luid en duidelijk. 'Ik hou van je!'

'Waarom verzwijg je dan iets voor me?' Hij pakte haar hand en streelde die zacht. Het gebaar was zo lief, dat ze in huilen uit-barstte. Wild trok ze haar hand terug. 'Je moet niet zo lief tegen me doen.' Ze kwam overeind en rende naar de keuken. Johan bleef wachten, in de hoop dat ze terugkwam en dat deed ze geluk-kig ook. Ze had een pakje papieren zakdoekjes opgehaald en begon nu haar neus te snuiten en haar tranen weg te vegen, maar er kwamen telkens nieuwe. Na een poosje werd ze wat rustiger en zei ze zachtjes: 'Ik heb iets gedaan waar jij boos om wordt.'

'Marijke, je zei net dat je me kende. Ik word toch zomaar niet boos.'

'Nee, niet woest boos, maar wel diep teleurgesteld boos en dat is erger.'

Hij stak zijn hand naar haar uit, maar ze legde de hare er niet in. Er joegen duizenden gedachten door zijn hoofd. Wat kon ze in vredesnaam gedaan hebben dat ze bang was dat hij boos zou wor-den? 'Heb je... Ben je... Heb je een ander ontmoet?'

'Johan! Hoe kun je het maar dénken. Natúúrlijk niet!'

Hij zuchtte opgelucht en lachte naar haar. 'Vertel het dan maar, want zo is het ook niet leuk hier in huis.'

'Het spijt me. Ik wist echt niet dat je het aan me kon merken. Ik... Ik... Oké, ik ben naar Karin geweest om met haar te praten. Ik vond het zo erg dat Sterre een blauwe plek op haar been had. Dat kon ik niet aanzien. Ik moest er wat van zeggen.'

Johan keek haar met grote ogen aan. 'Is dat het? Is dat alles?'

'Dat mocht toch niet van jou?'

'Mocht, mocht. Marijke, ik kan je toch niets verbieden, maar ik raadde het je af. Als jij vond dat je het toch moest doen, is dat jouw mening. We mogen toch wel een verschil van mening hebben?'

'Jawel, maar… maar… Ze is zo boos op me geworden, dat ze niets meer met me te maken wil hebben.'

Johan trok haar naar zich toe en nam haar in zijn armen. 'Dat is afschuwelijk voor je. Je bedoelde het zo goed. Karin trekt heus wel weer bij. Je kent haar ook langer dan vandaag, toch. Ze kan heel koppig zijn, maar ze trekt heus wel bij.'

Marijke rukte zich los en keek hem boos aan. 'Wanneer dan? Hoe lang moet het nog duren?'

'Hoezo? Wanneer heb je met haar gepraat dan?'

'Vlak na sinterklaas.'

'Vlak na sin…' Hij keek haar met grote ogen aan. 'Toen al? Ik dacht…' Hij zweeg en knikte. 'Nu begin ik een heleboel te begrijpen, ja. Kwamen ze daarom niet met Kerst?'

'Dat denk ik.'

'En had ze daarom hoofdpijn op nieuwjaarsdag?'

'Ik denk het. Ik heb haar een paar keer gebeld, maar ze neemt gewoon niet op en als Steven opneemt, krijgt hij haar niet naar de telefoon. Dan heeft ze geen tijd.'

'Was dat dan ook de reden waarom ze dat weekend in Boschlust er niet bij was?'

Marijke haalde haar schouders op. 'Ik weet het niet zeker natuurlijk, maar ik vind het wel opvallend. Ik denk het wel, ja.'

'Maar Steven had haar zelf zien overgeven.'

'Horen overgeven. Dat is een verschil. Als ze in de badkamer stond en hij in bed lag en ze stak haar vinger in haar keel…'

'Marijke, zo raar kan Karin toch niet doen, omdat jij iets tegen haar gezegd hebt?'

'Ik weet het niet, maar als ze echt kwaad op me is, kan ze van alles verzinnen en misschien durft ze niet tegen Steven te zeggen dat ze mij niet zien wil. Hij weet wel dat ik bij haar geweest ben, maar zelf durfde ik niet te vertellen hoe boos Karin op me werd en ik vermoed dat zij het hem ook niet gezegd heeft. Dan wil hij natuurlijk weten waarom, en ik vraag me af of ze dat zelf wel weet.' Ze zuchtte diep. 'Ik weet niet wat ik ervan moet denken. Ik weet niet wat waar is en wat niet. Of ze echt ziek was of niet. En vanavond… Vanavond ben ik naar haar toe gereden, maar ze deed niet open en ze was volgens mij wel thuis.'

'Liefste toch, dit is echt niet leuk.' Hij trok haar naar zich toe en streelde haar haren. 'Ik ben nog steeds van mening dat je niets had moeten zeggen, maar Karins reactie loopt echt wel de spuigaten uit. Dat kan ik helemaal niet goedkeuren. Zal ik eens met haar gaan praten?'

'Dat is lief van je, maar toch vind ik dat ik het zelf moet oplossen.'

'Ik begrijp net dat dat niet lukt. Ik ga het ook niet goedpraten, ik wil haar alleen zover zien te krijgen dat ze weer met je wil praten. Desnoods met mij erbij, als ze je niet alleen wil zien. Maar als het werkelijk waar zou zijn dat ze daarom weg waren met Kerst en dat ze daarom ziek was tijdens dat leuke weekend, dan vind ik dat wel heel erg. Je ouders hadden zich er zo op verheugd dat iedereen zou komen. Ze hadden ook allemaal toegezegd. Als ze zichzelf ziek gemaakt heeft om niet te hoeven komen, dan is ze echt verkeerd bezig.'

Marijke knikte terwijl Johan op zijn horloge keek. 'Het zou nog kunnen nu,' zei hij aarzelend, 'maar dan wordt het wel laat. Als ze met me praten wil.'

'Het is ook beter dat je het nu niet doet. Misschien moet je er eerst over nadenken wat je gaat zeggen.'

'Dat is geen punt, hoor, maar zij gaat er altijd vrij vroeg in omdat ze weer zo vroeg op moet, en ik wil haar niet van haar nachtrust beroven.'

'Maar op maandagavond is wel het best. Dan is Steven niet thuis.'
'Ik vind dat die het ook moet weten.'
'Jawel, maar als hij erbij is, zal ze helemaal niets zeggen.'
'Goed, dan moeten we nog maar een week wachten. Het duurt nu blijkbaar toch al maanden. Ik ga volgende week maandag met haar praten.'

HOOFDSTUK 17

Het was vrijdag, de dag waarop Marijke nooit werkte en altijd thuis de boel aan kant maakte. Ze was tegelijk met Johan opgestaan en meteen nadat hij vertrokken was naar zijn werk, had ze zich aangekleed en was ze gaan stofzuigen. Ze zag dat er wat dode blaadjes op de vensterbank lagen en kwam tot de ontdekking dat ze al een poosje vergeten was de planten water te geven. Ze zuchtte. Ze was met haar gedachten steeds zo bij Karin, dat ze niet eens meer alles in huis deed, zoals ze altijd gewend was.

Ze vulde de gieter en liep op het grote raam aan de voorkant af. Terwijl ze de planten water gaf, keek ze naar buiten. Op de hoek stond een auto die haar bekend voorkwam. Hij stond daar erg vreemd, vond ze. Dat was echt geen parkeerplaats. Als er een auto door de bocht kwam, kon die er zomaar bovenop rijden. Wat deed die auto daar en waarom moest ze ook nu aan Karin denken?

Plotseling wist ze het. Het was net zo'n auto als zij had. Hetzelfde model, dezelfde kleur. Ze tuurde naar de auto. Zat er iemand achter het stuur? Ze kon het niet zien, maar opeens voelde ze zich opgejaagd, zenuwachtig. Ze zette de gieter tussen de planten en liep naar de gang, trok haar jas aan en liep naar buiten. Langzaam liep ze op de auto af, tot ze zeker wist dat er iemand achter het stuur zat. Was het Karin? Er waren natuurlijk duizenden van dit soort auto's, zelfs in dezelfde kleur. Maar de auto stond er zo vreemd. Iets was er niet pluis. Ze liep angstig door, bang dat het inderdaad Karins auto was. Bang, omdat ze niet wist wat ze dan verwachten kon.

Toen ze nog maar vijf meter hoefde te lopen, wist ze het zeker. Het was Karin. Ze zat met haar hoofd gebogen naar beneden, zodat Marijke haar gezicht niet kon zien en Karin niet zag dat zij er aankwam. Wat moest ze doen? Wat deed Karin hier? Ze wilde haar niet laten schrikken door op het raam te kloppen, maar hoe trok ze dan haar aandacht? Ze liep voor de auto langs. Blijkbaar merkte Karin dat, want ze keek op. Op het moment dat ze haar moeder zag, begon ze vreselijk te huilen.

Marijke rukte het portier aan haar kant open. 'Karin, meisje, wat is er?'

Karin zei niets. Ze huilde alleen maar.

'Is er iets gebeurd? Is er iets met de kinderen?'

Ze schudde wild met haar hoofd en Marijke haalde opgelucht adem.

'Kom mee naar huis. Trouwens, hier kan de auto niet blijven staan.'

Maar Karin deed geen poging de auto te starten.

'Stap uit,' zei Marijke, 'dan rij ik de auto wel even naar huis.'

Gehoorzaam stapte ze uit, maar ze stapte aan de andere kant weer in.

Marijke startte de auto en reed naar haar huis. Ze parkeerde zo dichtbij mogelijk, zodat de buren niet zouden zien dat ze huilde, want dat wilde Karin vast niet. Zodra ze stilstonden, sprong Karin de auto uit en rende haar ouderlijke huis in. Marijke sloot de auto af en volgde haar, bang voor wat er komen zou.

Karin was op de bank gaan zitten en veegde met een zakdoek haar tranen voorzichtig weg. Ze was keurig opgemaakt geweest, maar nu liepen er zwarte vegen van de mascara over haar wangen. De lippenstift op haar lippen was ook gevlekt. Ze zag er niet uit.

'Als jij nou even naar de badkamer gaat,' stelde Marijke voor, 'om je gezicht schoon te boenen, dan zet ik verse koffie.'

Karin knikte en ging naar boven. Marijke zette koffie bij en schonk twee koppen vol, die ze naast elkaar op de salontafel zette, vlak voor de bank. Ze ging zitten en hoorde Karin de kamer binnenkomen. Van make-up was niets meer te zien. Ze glimlachte naar haar dochter en klopte naast haar op de bank. Gelukkig ging Karin daar zitten.

Dat deed Marijke goed. 'Nou, vertel het eens. Wat is er? Heb je ruzie met Steven?'

'Ook.'

'Ook? Wat nog meer? Begin eens bij het begin.'

Karin zuchtte diep en barstte opnieuw in huilen uit. Haar schouders schokten ervan en Marijke begon zich steeds ellendiger te voelen. Ruzie met Steven. Zouden ze gaan scheiden? En hoezo ook? Of bedoelde ze dat ze ruzie met haar, Marijke, had, en nu ook met Steven? Ze stak een hand uit en legde die op Karins schouder. Dit leek een sein om nog harder te gaan huilen. 'Mamma,' snikte ze, 'mamma, ik kán het niet.'

Marijke trok haar naar zich toe en nam haar in haar armen, wiegde haar als een klein kind, streelde haar over de rug, maar zei niets. Ze wachtte rustig af tot Karin zou stoppen met huilen.

Uiteindelijk gebeurde dat ook en Marijke liet haar los. 'Neem maar een slok koffie, joh. Daar ben je vast aan toe.'

Karin pakte de kop, maar haar handen trilden zo dat ze amper een slok naar binnen kreeg. Marijke hielp haar de kop vast te houden en maakte zich ondertussen steeds grotere zorgen. Ze was er wel heel erg slecht aan toe.

Zelf nam ze ook een paar slokken en keek haar dochter daarbij onderzoekend aan. 'Lieverd, vertel me wat er is en begin bij het begin, dat is het handigst.'

'Ik kan het gewoon niet,' herhaalde ze fel. 'Ik red het niet.'

'Wat niet, Karin, ik begrijp je niet.'

'Alles niet. Niks niet. Ik kan het niet. Ik heb het jaren geprobeerd en mijn best gedaan, maar ik kan het niet.'

'Karin, ik begrijp je echt niet. Het spijt me. Wat heb je geprobeerd?'

'Alles!' Weer begon ze te huilen, maar nu niet zo hartverscheurend als eerst.

'Wat bedoel je met alles?' Marijke probeerde zo kalm mogelijk te blijven, maar eigenlijk wilde ze haar wel door elkaar schudden om haar te laten praten, want wat kon er toch zo erg zijn dat ze alsmaar moest huilen?

'Gewoon, alles. Wat jij ook doet. Wat er van me verwacht wordt.' Ze zuchtte. 'Ik kan geen goede advocate zijn en tegelijk een goede moeder. Ik kan geen goede echtgenote zijn en een goede huisvrouw. Ik kan het allemaal niet. Het spijt me.'

Marijke fronste haar voorhoofd. Ging het hierom? Moest ze daar zo hard om huilen? 'Waarom zeg je: het spijt me? Dat geeft toch helemaal niet?'

Karins hoofd vloog omhoog. Ze keek haar moeder aan. 'Geeft niet? Geeft niet? Natuurlijk geeft het. Het is een ramp!'

Opeens drong het tot Marijke door wat ze precies gezegd had: wat er van me verwacht wordt. Wie verwachtte dat van haar? Steven? 'Hoezo een ramp? Het is toch ook erg veel gevraagd van een vrouw om alles goed te kunnen?'

Karin keek haar verbaasd aan. 'Maar jij… Jij…'

'Wat, Karin. Wat ik?'

'Mamma, jij hebt altijd over me opgeschept. Jij zei altijd tegen iedereen dat ik alles kon, als ik maar wilde. Je was zo trots dat ik afstudeerde en van plan was advocaat te worden. Je zei dat jij gestopt was met werken toen je kinderen kreeg. Dat was normaal in jouw tijd, maar je had het altijd jammer gevonden. Je was trots dat ik wel bleef werken, toen Jolien kwam en ook nog toen Sterre kwam. En nou zeg je dat ik niet alles hoef te kunnen? Jíj verwachtte van me dat ik het wel kon. Jij verwachtte een perfecte huisvrouw en een perfecte advocate en een perfecte dochter. Maar ik kan het niet!'

Marijke was perplex, kon haar dochter alleen maar met wijd open ogen aankijken. Had zij echt zulke hoge eisen aan Karin gesteld? Dat kon ze niet geloven. En als dat zo was, waarom had Tim daar dan geen last van? Ze had geen verschil gemaakt tussen haar twee kinderen. 'Karin, ik heb nooit gezegd dat ik verwachtte dat jij alles wel kon.'

'Echt wel. Heel vaak zelfs. Als je mijn rapport aan oma liet zien, zei je altijd: 'Kijk eens wat een mooie cijfers? Als Karin iets wil, kan ze het.' Nou, mamma, ik heb het geprobeerd, ik wilde het ook echt, maar ik kan het niet.' Ze greep een zakdoekje en barstte weer in huilen uit.

Ze is zwaar overspannen, dacht Marijke. Ze is aan het einde van haar Latijn. Logisch met een baan, een gezin en twee kinderen, maar kwam dat door haar? Had zij echt zo'n druk op Karins schouders gelegd? Ze begreep er niets van. 'Ik bedoelde toch niet dat je alles tegelijk zou kunnen,' verdedigde ze zichzelf.

'Alles is alles,' zei Karin snikkend. 'Je hebt zo vaak gezegd: Karin redt het wel. Nou, mamma, ik red het niet. Ik ben op, ik ben kapot. Ik wil alleen nog maar huilen. Ik kan gewoon niet alles perfect voor elkaar krijgen. En de kinderen werken ook helemaal niet mee. Overal ligt altijd speelgoed of er zit een gat in hun maillots of ze kleuren op de tafel. Steven laat altijd de krant slingeren. Het is nooit netjes bij ons. Ik doe zo mijn best. Zo ontzettend. Maar ik kan het niet.'

'Lieve schat, alles hoeft toch ook niet perfect te zijn?'

'Maar bij jou is wél altijd alles perfect.'

'Dat is niet waar. Helemaal niet. En vooral vroeger niet, toen jullie klein waren. Oké, ik werkte niet buitenshuis, dus ik had meer tijd om op te ruimen, maar hier was echt niets perfect.'

'Ik wilde het wel perfect hebben, omdat… Jij zei toch zelf dat ik alles kon. Ik was als de dood dat jij zou vinden dat het smerig was bij mij thuis of dat de kinderen vieze kleren aanhadden of dat Stevens overhemd verkreukeld was. Ik was altijd bang dat er iets niet goed zou zijn, dat je niet meer trots op me zou zijn.'

'Kindje toch, ik zal altijd trots op jou zijn, wat je ook doet. Je bent mijn dochter. Dat alleen is al voldoende om trots op je te zijn.' Ze trok haar opnieuw naar zich toe en nam haar in haar armen. Marijke zuchtte onhoorbaar. Sommige dingen klopten inderdaad. Ze was enorm trots op Karin geweest en had dat ook nooit onder stoelen of banken gestoken. Maar dat betekende toch niet dat Karin altijd op haar tenen moest lopen? Was ze echt bang geweest voor haar eigen moeder, bang dat ze niet meer de grote, flinke dochter was? Nu ze erover nadacht, had ze inderdaad weleens gezegd dat Karin alles kon, als ze maar wilde. Lieve help, het lag inderdaad aan haarzelf. Ze had haar kind verkeerd opgevoed. In elk geval het verkeerde idee gegeven. 'Karin, ik heb al die dingen alleen maar gezegd omdat ik zo ontzettend van je hou. Niet omdat je altijd perfect moest zijn. Niemand is perfect. Hoe kan ik dat dan van jou verwachten?'

'Dat dacht ik,' zei ze bijna onhoorbaar.

'O, wat spijt me dat,' verzuchtte Marijke uit de grond van haar hart. 'Wat spijt het me dat ik je een verkeerd idee heb meegegeven. O, meisje, je bent van jezelf al perfect, beter hoeft niet!'

Opeens moest Karin lachen. 'Net zei je nog dat niemand perfect is.'

Marijke grijnsde ook. 'Ja, daar klopt iets niet. Zie je, in elk geval ben ik niet perfect, want ik zeg verkeerde dingen. Zal ik nog een kopje koffie halen?'

'Graag.'

Marijke stond op en liep naar de keuken. Daar ontsnapte haar een enorme zucht. Karin had echt gelijk. Ze had vroeger inderdaad geregeld gezegd dat Karin alles kon als ze maar wilde. Maar Karin had dat wel verkeerd opgevat. Hoe breide ze dit weer recht? Toen Marijke weer in de huiskamer kwam, zat Karin rechtop. Ze leek een stuk rustiger nu. Marijke ging weer naast haar zitten. 'Was dat de reden waarom je zo kortaf werd?'

'Ja. Ik wist niet meer hoe ik het moest bolwerken. Jij zei altijd dat je consequent moest zijn tegen je kinderen en dus was ik dat. Maar ze wilden soms niet naar bed als ik het zei. Toch moesten ze. Tijd is tijd. Ik kon er niet tegen als ze zeurden of draalden en twee minuten te laat in bed lagen. In het begin ging het nog, maar ze worden steeds groter en krijgen een eigen wil. Gisteravond heb ik Jolien een pak slaag op haar billen gegeven en Steven werd heel boos. Ik heb tegen hem geschreeuwd dat hij zich er niet mee moest bemoeien. Later ging ik strijken en ik brandde een gat in zijn nieuwste overhemd. Mamma, alles gaat mis! Ik wil de kinderen helemaal niet slaan of knijpen en ik wil niet schreeuwen tegen Steven, maar ik kan me niet meer inhouden. Alles gaat mis. Ik kan het niet meer. Ik weet niet meer wat ik moet doen.'

Opeens schoot Marijke iets te binnen. 'Heb je wel naar je werk gebeld dat je niet komt?'

'Ja, zo perfect was ik nog. Ik reed naar kantoor. Ik was er en zag dat gebouw en plotseling greep ik de telefoon, belde op dat ik ziek was en reed naar jou, maar ik durfde niet binnen te komen.'

'Ik ben zo blij dat je hier nu bent. Meisje, dit moet op te lossen zijn. Dit is geen ramp, zoals jij het noemde. Je moet gewoon proberen iets gemakkelijker te worden en dat is op zich niet gemakkelijk natuurlijk, maar als je dat zou kunnen, zul je zien dat alles toch goed gaat en dat je het wel kunt.'

'Gemakkelijker? Gemakkelijker?' riep Karin uit. 'Maar dan wordt het een puinhoop in huis!'

Ze zaten een poosje stil naast elkaar en dronken hun koffie. Marijke wist niet goed wat ze moest zeggen. Er gingen honderden ideeën door haar hoofd, maar welk idee was het juiste om te zeggen? En had ze wel het recht om met voorstellen te komen, nu bleek dat zijzelf de basis was voor het feit dat het zo misgegaan was? 'Het spijt me zo, Karin dat ik je een verkeerd idee gegeven heb, dat je dacht dat ik van je verlangde dat je perfect zou zijn.' Ze zuchtte zacht. 'Maar als ik het vroeger fout gedaan heb, misschien wil je me dan nu een kans geven om het goed te maken? Misschien moeten we eens om de tafel gaan zitten met zijn vieren. Steven, pappa, jij en ik. Dan zouden we op kunnen schrijven wat je het belangrijkste vindt. Moeten Stevens overhemden bijvoorbeeld gestreken worden? En moet jij dat doen? Ik kan het ook doen.'

'Dat nooit. Jij gaat niet mijn troep opruimen. Dat is mijn werk.'

'Nee, dat is het werk van jou én Steven, maar jij bent mijn dochter, dus waarom zou ik je niet helpen?'

'Jij hebt genoeg te doen. Dit huis, pappa, je baan.'

'Maar ik werk maar drie dagen en ik heb geen kinderen meer in huis. Hoe deed Steven trouwens vanmorgen tegen je, nadat je gisteravond tegen hem geschreeuwd had?'

'Steven zei dat hij hulp ging zoeken. Professionele hulp. Dat had hij al eens eerder gezegd, maar nu leek hij het te menen.'

'Nadat je Jolien zo geslagen had.'

'Ja.' Ze zuchtte. 'Dat spijt me zo, maar ze kneep de tube tandpasta leeg op de badkamervloer en dat kon ik er niet bij hebben. Moest ik ook nog de vloer dweilen. Ik was al zo moe.'

'Was je trouwens echt ziek tijdens het weekend van opa en oma of wilde je mij niet zien?'

Karin keek schuldbewust op. 'Ik wilde jou niet zien. Ik was zo bang voor je, bang voor wat je zou zeggen, want natuurlijk had je gelijk. Jij hebt altijd gelijk. Ik mocht Sterre niet knijpen omdat ze in haar broek plaste, ik mocht niet kortaf doen, maar ik wist niet meer hoe ik het veranderen moest.'

'Heb je me daarom zo wild je huis uitgezet? Omdat je wist dat ik gelijk had?'

Karin schudde met haar hoofd. 'Dat kon ik op dat moment van jou niet verdragen. Ik wist heel goed dat ik verkeerd bezig was, maar ik kon me niet meer beheersen en toen jij kwam… Dat was de druppel. Ik schaamde me al weken voor mezelf, maar juist jij had dat niet mogen zeggen. Althans, zo voelde dat.' Karin zuchtte zo diep dat het leek alsof het uit haar tenen kwam.

Marijke hief haar hand op en streelde haar over de wang. 'Meid, ik ben zo blij dat je hierheen gekomen bent. We vinden wel een oplossing.'

'Maar hoe dan? Het werk loopt toch niet weg?'

'Zal ik Steven op zijn werk bellen en zeggen dat je hier bent?'

'Straks misschien, nu nog niet.'

Marijke stond op en pakte pen en papier. 'Je noemde vier dingen. Je werk, je huishouden, de kinderen en dat je echtgenote bent.' Marijke schreef de vier woorden op.

'Als je die vier dingen nu een cijfer moest geven van belangrijkheid, wat voor cijfer gaf je je werk dan? Zou je zonder je werk willen?'

'Nee, mijn werk is heel belangrijk. Minstens een tien!'

'Zou je minder willen werken?'

'Nee! Dan kan ik geen advocaat worden.'

'Oké, duidelijk. En hoe belangrijk zijn je kinderen?'
'Mamma, álles is belangrijk. Ik wil blijven werken, ik wil mijn kinderen houden, ik wil bij Steven blijven en ik wil een keurig huis hebben.'
'Goed, en als je dan nu iets op mocht noemen wat je niet echt leuk vindt om te doen?'
'Strijken, stofzuigen, de wasmachine aanzetten, afwassen, koken.'
'Aha, alles wat met het huishouden te maken heeft.'
Karin knikte.
'Steven doet toch ook dingen in huis?'
'Ja, hij kan alles, maar ik geloof niet dat hij het wel leuk vindt.'
'Dan denk ik dat daar wel iets voor te vinden is. Je neemt gewoon een huishoudelijke hulp. Ik kan natuurlijk niet in jullie portemonnee kijken, maar volgens mij moet dat voor jullie wel te betalen zijn. Iemand die elke week het huis zuigt en de badkamer doet, de was opvouwt en strijkt. Als ze twee morgens in de week komt, kan ze heel veel voor je doen en dan moet je eens kijken hoeveel tijd jij overhoudt.'
Karin keek haar aan. 'Vind je dat niet stom dan? Ik ben nog een jonge vrouw. Dan laat je dat toch niet door een ander doen? Ik kan het zelf wel.'
'Dat weet ik toch, dat jij het kunt. Dat heb ik al die jaren heus wel gezien, maar je hebt het gewoon te druk. Het gaat er niet om of je het zelf kunt of niet, het gaat erom wat jij belangrijk vindt. Ik bedoel: je moet kiezen waar je je tijd aan besteedt en als ik het goed begrijp, besteed je je tijd liever aan je kinderen, je man en je baan dan aan het huishouden. Nou, dan neem je daar toch iemand voor in dienst.'
'Ik dacht… Ik dacht… dat je dat belachelijk zou vinden. Ik heb er weleens over gedacht, maar ik was bang dat je me uit zou lachen. Het is toch míjn werk!'
'Lieve Karin, het is niet jóuw werk. Het huishouden is voor jou én Steven, maar daarmee bedoel ik dat het jullie verantwoorde-

lijkheid is. Dat houdt niet in dat je het zelf moet doen. Als jullie er maar voor zorgen dat het gebeurt.' Marijke zuchtte diep en keek Karin aan. 'Och, wat spijt het me, dat ik je op zulke verkeerde gedachten gebracht heb en vooral dat ik dat niet wist! Dan had ik heel andere dingen tegen je gezegd, die keer dat ik langskwam. Het maakt mij echt niets uit als de kinderen eens vieze kleren aanhebben. Het zijn immers kinderen. En een gat in een maillot krijg je zo gemakkelijk. Dat had jij vroeger ook. Karin, Karin toch…' Ze haalde eens diep adem en schreef op: *huishouden, niet leuk*. 'Zijn er nog meer dingen die je niet leuk vindt? O ja, je zei koken. Hou je niet van eten klaarmaken?'

'Niet echt, nee.'

'En Steven?'

'Die kookt graag. Hij doet het ook geregeld.'

'Zouden jullie dan niet kunnen afspreken dat hij altijd kookt? Dan moet jij natuurlijk altijd iets anders doen. Ik bedoel: jullie moeten de taken zo verdelen dat jullie allebei dingen te doen hebben die jullie leuk vinden.'

'Als hij kookt, ruim ik de tafel af, vul ik de afwasmachine en maak de keuken schoon. Als ik kook, doet hij dat.'

'Kijk, dat is al een mooie verdeling. Zou je elke avond de tafel af willen ruimen?'

Urenlang zaten ze samen te praten. Er werden vooral veel dingen van vroeger aangehaald. De ene herinnering riep de andere op. Af en toe lachten ze, maar soms moesten ze samen huilen. Marijke, die altijd zo haar best gedaan had haar kinderen zo goed mogelijk op te voeden, voelde zich soms diep ellendig, nu ze zag hoe Karin haar opvoeding opgepakt had.

Marijke belde Steven om te vertellen dat Karin bij haar was en dat ze was ingestort. Ook vroeg ze of hij de kinderen van het gastouderadres wilde ophalen. 'Vanavond zullen we uitgebreid praten. Als de meisjes in bed liggen.'

Johan keek aangenaam verrast op, toen hij Karin op de bank zag zitten. 'Meid, wat leuk je weer eens te zien!' Hij liep op haar af en sloeg even zijn armen om haar heen.

Marijke hield haar vinger voor haar mond en Johan begreep dat hij niets moest vragen.

'Steven komt zo ook,' vertelde Marijke, 'met de meisjes. Wil jij dan iets van de chinees halen?'

'Wat gezellig!' riep hij uit. 'Natuurlijk doe ik dat. Met alle liefde.' Hij keek Karin aan. 'Ben je weer wat opgeknapt?'

Hij zag vanuit zijn ooghoek dat Marijke met haar hoofd schudde. Dit was blijkbaar een verkeerde vraag en hij had er nog wel zo over nagedacht. Niet vragen waarom ze hier is, niet vragen of ze het samen hebben uitgesproken.

'Opgeknapt?' Karin keek hem vragend aan.

'Ik bedoelde van toen je zo ziek was tijdens het weekend van opa en oma,' verduidelijkte hij, maar hij begreep opeens waarom die vraag fout was. Ze was volgens Marijke immers niet ziek geweest.

'Ik was niet ziek,' zei Karin zacht.

Marijke voelde zich gloeien van trots dat haar dochter zomaar de waarheid zei.

'Niet?' Nu moest Johan wel reageren, maar Marijke kwam tussen beiden. 'Als de kinderen in bed liggen, praten we. Goed? Wil je een flesje bier?'

'Lekker, ja. Tenslotte is het vrijdag en is mijn weekend net begonnen.'

'En jij, Karin? Een glas wijn?'

'Graag.'

Marijke liep naar de keuken. In de kamer viel een stilte, waarbij Johan zich ongemakkelijk voelde. 'Karin, ik zou je van alles willen vragen, maar ik begrijp dat je je niet goed voelt. Dus als ik niets vraag, betekent dat niet dat ik geen belangstelling heb.'

Karin glimlachte. 'Dat weet ik wel. Je hebt altijd belangstelling voor mij gehad, dus waarom nu niet? Maar er is te veel om te zeggen, ik zou niet weten waar ik moet beginnen.'

'Dan bewaren we dat inderdaad maar voor na het eten. Gaan Jolien en Sterre dan zolang hier naar bed?'

'Dat stelde mamma voor en ik denk dat dat een goed idee is. Steven zal zich inmiddels ook wel ongerust maken en omdat mamma en ik vandaag al uren gepraat hebben, is het beter dat zij erbij is. Dan kan ze me helpen als ik het niet meer weet.'

'Goed, meisje. Ik ben blij dat je met mamma kon praten.'

'Tja, eindelijk,' verzuchtte Karin. 'Maar,' voegde ze snel toe, 'dat lag niet aan mamma, hoor. Dat lag aan mij. Zij wil altijd wel praten.'

'Ze blijft anders wel lang weg. Moet ze de druiven nog persen voor de wijn?' zei Johan gekscherend. 'Ik zal maar even zien of ze hulp nodig heeft.'

In de keuken bleek dat Marijke aan de telefoon was. Hij fronste zijn wenkbrauwen, maar vroeg niets, pakte wijn en bier en liep de huiskamer weer in. 'Alsjeblieft, op onze gezondheid,' zei hij. Hij keek op, omdat hij geluiden hoorde bij de voordeur. 'Hallo, moet die deur eruit?' zei hij lachend. 'Dat zullen jouw kinderen wel zijn die naar binnen willen en niet bij de bel kunnen en nu de voordeur inslaan. Ha, de bel. Steven is er dus ook.' Vrolijk deed hij de voordeur open en er stormden twee meisjes langs hem heen. 'Oma, oma!' riepen ze.

Marijke kwam juist de huiskamer binnen en de meisjes renden op haar af. 'Oma, oma, we gaan hier eten.'

Marijke tilde ze een voor een op en begroette ze met een kus. Daarna renden de meisjes naar Johan toe. Met pijn in haar hart zag Marijke dat ze hun moeder niet begroetten.

Gelukkig deed Steven dat wel. Hij liep op haar af, zakte naast haar neer op de bank en trok haar in zijn armen. Ze legde haar hoofd op zijn schouder en zuchtte diep. 'Het spijt me zo,' zei ze. 'Stil maar, zeg maar niets. Het is al goed,' zei hij teder.

'Nee, dat is het niet.' Ze duwde zijn armen opzij en kwam overeind, liep op Jolien af, die angstig een paar stappen achteruit deed. Karin zakte door haar knieën, zodat ze op ooghoogte kwam met

haar oudste dochter. Ze raakte haar niet aan, maar zocht wel oog-
contact. 'Jolien,' zei ze zacht, 'het spijt me zo dat ik je geslagen
heb. Dat had mamma niet mogen doen.'
'Jolien was stout,' zei ze zacht.
'Dat is waar. Je mocht de tube niet leegknijpen, maar slaan is
erger. Het spijt me echt en weet je, mamma zal dat niet meer
doen.'
Het kleine meisje keek haar onderzoekend aan. Even dacht
Marijke dat ze zou vragen: wat ga je dan doen als ik weer een tube
leegknijp, maar ze zei niets. Ze knikte wat schuchter en liep toen
naar Sterre toe, die in de onderste la van het dressoir de kleurpotloden aan het opzoeken was.
Maar dat was natuurlijk wel een probleem. Als Jolien haar zou
gaan uitproberen, hoe moest Karin dan reageren? In gedachten
noteerde Marijke dat dit ook een onderwerp van gesprek voor die
avond moest zijn.

HOOFDSTUK 18

'Dus je kon je wel een avondje losrukken van Richard,' zei Marijke vrolijk toen Edith tegenover haar ging zitten aan het tafeltje in het restaurant, dat Marijke deze keer had uitgekozen.

'Doe niet zo raar. Jij bent mijn vriendin. Al heb ik Richard nu, ik ga jou niet verwaarlozen!'

'Gelukkig maar.' Marijke lachte. 'Al zou ik het wel begrijpen, hoor.'

'Maar de kans bestaat natuurlijk wel dat we elkaar wat minder vaak zien dan vroeger.'

'Logisch! Wil je alvast wat drinken?'

Een ober bracht de menukaarten en noteerde hun drankjes.

'Zeg, weet je dat ik inmiddels drie schilderijen heb verkocht,' zei Edith met stralende ogen.

'Drie? Op de expositie?' Marijke schaamde zich een moment. Ze was onlangs samen met Johan naar de opening van de expositie geweest, waar ze Richard ook weer ontmoet hadden. Ediths schilderijen hingen in de grote hal als je het ziekenhuis in kwam en ook in sommige gangen, zodat de lopende patiënten er eveneens van konden genieten. Natuurlijk had Marijke als eerste moeten vragen of die tentoonstelling al iets had opgeleverd, maar Marijke zat eigenlijk alleen maar met haar gedachten bij Karin. Ze wilde haar excuses aanbieden, maar Edith ging opgewekt verder. 'Ja. Twee aan patiënten en een aan een bezoeker van een patiënt. Ze liepen er langs en wisten het meteen. Zelfs over de prijs is niet onderhandeld, dus ik vermoed dat ik toch wat aan de lage kant zit,' zei ze grinnikend. 'Maar ik had eerlijk gezegd niet verwacht dat ik iets zou verkopen.'

'Gefeliciteerd, joh. Het moet toch heel bijzonder aanvoelen dat er ergens bij totaal onbekende mensen schilderijen van jou aan de muur hangen.'

'Ja, een groter compliment had ik niet kunnen krijgen. Jij vindt ze altijd mooi, maar soms denk ik dat je dat alleen maar zegt om mij niet teleur te stellen. Richard vindt ze ook mooi. Maar nu blijken ze dus echt mooi te zijn.'

'Dat waren ze al, hoor. Ik ben geen type dat iemand naar de mond praat. Zeg, ik heb trouwens goed nieuws,' zei Marijke.

Edith begon te stralen. 'Ik ook!'

'O? Nog ander nieuws dan van je schilderijen?'

Edith knikte wild met haar hoofd.

'Spannend. Hoewel… ik denk opeens dat ik het al weet.'

Edith schoot in de lach. 'Ik was nog zo van plan mijn gezicht in de plooi te houden, zodat je het niet kon raden.'

'Ha, je ogen glanzen en je wangen worden zelfs donkerrood.'

'Toch vertel ik het niet. Jij eerst.'

'Nee, hoor. Eerst zoeken we wat te eten uit, anders krijgen we nooit wat.'

Het was een Grieks restaurant en ze zochten beiden iets uit met gegrild vlees. Nadat de ober hun wensen had opgeschreven en de kaarten weer meegnomen had, keek Edith Marijke aan. 'Ik hoop dat het over Karin gaat.'

'Nou ja, zeg! Kan ik ook al niets voor je geheim houden?' Ze lachte. 'Maar je hebt gelijk. Het gaat over Karin. Gedeeltelijk vind ik het wel heel erg, want er ligt toch een vorm van schuld bij mij, maar aan de andere kant wordt er nu aan gewerkt en dat is positief, heel positief zelfs.'

'Dus jullie hebben eindelijk weer met elkaar gepraat?'

Marijke vertelde dat Karin huilend naar haar toe gekomen was. Ze vertelde waarom Karin het zo moeilijk had, dat ze altijd op haar tenen liep, omdat ze dacht dat vooral Marijke, maar ook Steven dat van haar verwachtte. Dat ze dat niet langer aankon en daarom de kinderen afsnauwde, kneep en zelfs sloeg.

'Maar nu het eenmaal bespreekbaar is, gaat alles stukken beter,' zei Marijke blij. 'Gelukkig begreep Steven ook wat ze bedoelde en waarom alles zo perfect moest zijn. Van hem hoefde dat helemaal niet. Ja, hij houdt wel van een keurig huis, maar er moet wel in geleefd worden, zei hij, en dat ben ik met hem eens. Nu moet

Karin dus leren overal gemakkelijker en soepeler mee om te gaan. Soms moet ze gewoon iets door de vingers zien. Of het nu geknoei van de kinderen is of dat Steven de krant niet opruimt. Dat valt nog niet mee, maar ze heeft wel sinds deze week hulp in de huishouding en dat scheelt bergen werk.'

'Had ze dat dan niet?' vroeg Edith verbaasd. 'Twee mensen die fulltime werken, met kinderen. Dat hou je toch niet vol?'

'Och, dat kan misschien wel, als je niet zo perfect wilde zijn als Karin wilde, maar het leek me handiger dat ze een hulp nam. Dat scheelt veel tijd en zorgen en als ze dan nog steeds perfect wil zijn, dan kan dat, want daar heeft ze dan meer tijd voor.'

'Ik snap niet dat ze die niet al jaren had.'

'Dat is het hem nu juist. Karin wilde in alles perfect zijn en ze dacht dat ik het af zou keuren als ze het huishouden zelf niet deed. Ik had ook nooit hulp gehad.'

'Maar jij werkte niet buitenshuis toen de kinderen klein waren.'

'Dat was ze blijkbaar vergeten.'

'Geweldig. Het mooist vind ik dat jullie weer samen praten.' Marijke knikte. 'Ik ook. Ik heb me zo naar gevoeld, maar dat is nu gelukkig voorbij. We hebben ook afgesproken dat de kinderen geregeld een weekend bij ons komen. Ze hoeven niet per se uit te gaan, maar dan zijn ze wel samen en dat moet hun huwelijk wel ten goede komen.' Marijke glimlachte. 'Even alleen maar man en vrouw zijn en niet vader en moeder.'

De ober bracht twee grote borden met eten. 'Er komt nog sla, hoor,' zei hij en verdween weer.

'Dat ziet er lekker uit,' vond Edith.

'En het ruikt ook heerlijk,' zei Marijke.

'Alstublieft, uw sla. Eet smakelijk.'

'Dat gaat wel lukken,' vond Edith. Ze keek haar vriendin aan. 'Ik ben echt blij voor je dat het weer goed is.'

'Ik ook, maar ik wilde nog iets grappigs vertellen. Ik had je ooit verteld van de buurvrouw van een van mijn patiënten, mevrouw Tuinstra.'

'Och ja, die sloeg haar zoontje en ze had er toen hulp bij gehaald.'

'Precies. Je hebt goed geluisterd! Nou, dat gaat echt geweldig. Het is nu een heel leuk gezin, die buren dus, en mevrouw Tuinstra heeft er alleen maar plezier van. Hij verhelpt alle problemen in haar huis en zij gaat geregeld een eindje met haar wandelen. Ik heb Annet ontmoet op de verjaardag van mevrouw Tuinstra. Een jonge, maar flinke vrouw, die er heel graag het beste van wil maken. Nou, Karin wist niet hoe ze een huishoudelijke hulp moest krijgen. Er staan natuurlijk vaak advertenties in de krant, maar is zo iemand betrouwbaar? Wie haal je in huis? Ze kende ook niemand die wel hulp had, zodat ze die hulp misschien ook kon nemen.' Marijke glimlachte. 'Ik heb mevrouw Tuinstra gebeld en gevraagd wat zij ervan vond als ik Annet daarvoor vroeg.'

'Maar je kent haar amper, hebt haar één keer gezien.'

'Klopt, dus of ze betrouwbaar is, dat weet ik niet. Toch moet ze wel betrouwbaar zijn, omdat ik haar buurvrouw ken. Ze kan het tegenover mevrouw Tuinstra niet maken dat ze dingen zou stelen of het huis met de Franse slag zou doen. Dan krijgt ze het met mevrouw Tuinstra aan de stok en ik weet zeker dat ze dat niet wil.'

'Maar ze had toch nog een klein kind in huis?'

'Tobias, ja, maar die gaat tegenwoordig naar de basisschool. Annet komt twee keer in de week. Ze brengt eerst haar zoontje naar school, pakt dan de bus naar de stad, werkt vier uur en reist weer terug. Ze is dan niet om kwart voor twaalf bij school, maar Tobias kan overblijven. Een voorwaarde was wel dat Annet zelf ook een dag in de week overblijfmoeder is en dat betekent dat ze meer contacten op school gaat krijgen. Dus je ziet het, het werkt aan alle kanten.'

'Twee keer vier uur?'

'Ja, maar dan doet ze ook alles! Bedden verschonen, strijken, en natuurlijk stoffen, zuigen, poetsen, boenen. Misschien is het lang, maar ik denk dat dat voor Karin zeker op dit moment het beste is.

En Annet was zo gelukkig! Vooral ook omdat mevrouw Tuinstra het haar voorstelde. Een groter compliment had de oude dame haar niet kunnen geven.'

Edith knikte. 'Heel slim bedacht dus. Smaakt het trouwens?'

'Heerlijk! Ik hoop bij jou ook, want anders heb ik het gedaan.'

Edith lachte. 'Je vist naar een compliment. Oké, je hebt een prima keus gemaakt door hier te reserveren.'

'Dat wou ik inderdaad horen en nu jij. Vertel op.'

'Oké, daar gaat-ie. Hou je vast!' Edith glunderde. 'Ik weet best dat Richard en ik elkaar nog maar drie maanden kennen, maar... we gaan trouwen.'

'Trouwen?' Marijkes mond viel open. 'Dat had ik eerlijk gezegd niet verwacht. Trouwen?'

'Ja!'

Opeens schoot Marijke overeind, liep om de tafel heen en zoende haar vriendin. 'Meid, wat geweldig leuk voor je. Gefeliciteerd. O, wat vind ik dat fantastisch!'

Edith straalde. 'Dank je. Kom, ik bestel nog wat te drinken.'

'Goed idee, want daar moet op getoost worden!'

Edith stak haar hand op en zocht contact met de ober.

'Vertel verder,' zei Marijke ongeduldig. 'Waar gaan jullie wonen? Bij jou of bij hem? Ga je naar Assen verhuizen?'

'Nee, nee en nog eens nee.'

'Wat dan? Gaan jullie een ander huis zoeken?'

'Ook niet.'

Edith had plezier om de uitdrukking op Marijkes gezicht. 'Je raadt het toch niet, maar ik moet wel eerst even zeggen dat ik het lief van je vind, dat je me alleen maar feliciteert en niet al je twijfels op tafel gooit, zoals zijn kinderen deden. Twee glazen wijn nog graag,' zei ze tegen de ober.

'Meid, ik ken je lang en goed genoeg om te weten dat jij geen domme dingen doet. Oké, je kent hem nog maar kort, maar als jij zeker weet dat je dit wilt, dan moet je dat doen en dan ben ik alleen maar blij voor je.'

'Dank je.'

'Maar zijn kinderen vinden het dus niet zo'n goed idee?'

'Ze vinden het prima als hij weer trouwt, maar niet met iemand die hij nog maar zo kort kent. Ze mogen mij ook, het is niet dat ze wat tegen mij hebben, maar ze vinden het te snel.'

'Ik denk dat het op oudere leeftijd sneller gaat,' zei Marijke. 'Wij hadden jaren verkering voor we trouwden, maar we waren jong. Dat doe je toch niet meer als je op jullie leeftijd bent.'

'We weten het gewoon zeker.'

'Dan is het goed, toch? Vertel nou waar je gaat wonen!'

'Ik blijf gewoon thuis wonen en hij ook.'

'Wat?' Nu keek Marijke met een gezicht als één groot vraagteken.

'Ja, we gaan wel trouwen, maar niet samenwonen.'

'Dat begrijp ik niet.'

'We gaan trouwen als bewijs van onze liefde en als teken naar de buitenwereld dat we echt van elkaar houden. We horen dan dus ook officieel bij elkaar en dat willen we graag. Maar je weet, ik zei al eens, dat ik niet weet of ik nog wel echt kan samenwonen. Hij is soms een weekend bij mij of ik bij hem en dat gaat prima, maar als ik alleen thuis ben en eraan denk dat hij bij me inwoont…' Ze aarzelde. 'Misschien vind je het wel stom klinken, maar ik zie ertegen op overal zijn spullen te vinden. Ik zie er ook tegen op dat ik dan nooit meer languit op de bank kan hangen. Voor mijn gevoel dan. Ik weet gewoon dat ik af en toe dringend de behoefte zal hebben om alleen te zijn. Ik ben het zo gewend om alleen te zijn. Mijn haren kleuren bijvoorbeeld. Dan smeer ik er spul in dat in moet trekken en dan loop ik halfnaakt door huis te pruttelen tot het ingetrokken is of ik scheer ondertussen mijn benen. Dat soort dingen wil ik niet doen waar hij bij is. Tja, jij weet niet anders dan dat Johan bij je in huis is, maar ik weet niet anders dan dat ik alleen ben. Ongegeneerd een hele doos bonbons leegeten. Allemaal rare dingen, maar zo is het. Ik heb altijd heerlijke weekends bij hem, maar als ik dan weer thuis ben, denk ik: lekker, ik ben weer thuis.'

'En denkt Richard er ook zo over?'

'Die is nu acht jaar alleen en rekende erop dat hij dat zou blijven. Hij heeft een hele kamer ingericht voor zijn modelspoorbaan en overal liggen spulletjes die hij gelijmd heeft en die moeten drogen. Ja, hij denkt er net zo over als ik. Hij is dolgelukkig met me en had nooit gedacht nog iemand zoals ik tegen te komen, maar hij is ook graag alleen. Hij gaat veel eerder met pensioen dan ik. Hij is 61, ik ben nog maar 52. Dan is hij de hele dag thuis en kan hij doen en laten wat hij wil, maar als ik dan elke avond thuiskom, moet hij wel zorgen dat de boel weer aan kant is. Althans, zo voelt dat, en dat is denk ik ook wel zo. Als er niemand komt, kan hij de hele huiskamer in beslag nemen met zijn bouwwerken. Daar ligt de zaag, daar de lijm, weer ergens anders een paar zakjes strooisel om grasveldjes mee te maken. Of kleine mensjes die hij geschilderd heeft, die zo klein zijn, dat ik ze niet zie en gemakkelijk aan de kant zou kunnen vegen.'

Marijke knikte. 'Wat vinden zijn kinderen daarvan?'

'Dat vinden ze helemaal belachelijk. Ik geloof dat ze liever hadden dat we niet gingen trouwen, maar samenwonen, dan kunnen we altijd weer uit elkaar gaan, maar trouwen en niet samenwonen…'

'En hoe reageert Richard op zijn kinderen?'

'Hij praat met hen, probeert het uit te leggen, maar gaat zijn eigen gang. Zeg, zullen we nog een toetje nemen? Ik heb zo'n zin in ijs met vruchtjes en slagroom.'

'Nou, ik zit aardig vol. Ik heb liever een kop koffie,' zei Marijke.

'Je klinkt alsof jij er ook niet achter staat.'

'Sorry, Edith, ik moet even aan het idee wennen. Ik weet niet wat het is om alleen te wonen, maar ik had bij mezelf gedacht dat je een gat in de lucht zou springen als je niet meer alleen hoefde te wonen.'

'Nee, ik spring een gat in de lucht omdat ik iemand heb die bij me hoort, die van me houdt, van wie ik houd, die ik kan bellen en tegen wie ik aan kan zeuren, die ik kan zoenen en plagen en liefhebben. Iemand met wie ik kan vrijen.'

'Vrijen?' onderbrak Marijke haar met een vragend gezicht.

'Ja, vrijen,' verzuchtte Edith. Ze bloosde. 'Je weet dat ik dat nog nooit gedaan had, maar natuurlijk had ik er wel over gedacht en gefantaseerd, maar Richard… tja, met hem is het veel en veel mooier dan ik ooit had kunnen denken. Hij is zo geduldig en teder en lief. Het is… Hoe moet ik het zeggen?'

Marijke lachte. 'Je hoeft het niet te zeggen. Ik zie aan je ogen wat je bedoelt en ik ben zo blij voor je dat jullie ook op dat gebied elkaar gevonden hebben. Ik was bang… Ach, misschien was het wel stom van mij om zo te denken, maar hij heeft een huwelijk achter de rug en hij heeft kinderen. Hij moet dus wel ervaring hebben op dat gebied en jij niet.'

'Precies, dat dacht ik ook, hoor. Ik was ook bang dat hij me zou uitlachen of geen geduld met me zou hebben, wat ik echt wel nodig had, omdat alles zo nieuw voor me was. Maar hij zegt juist dat het voor hem ook allemaal nieuw is met mij. Ik ben zo'n ander mens en hij zei…' Ze liet haar stem dalen tot een fluistering die Marijke amper kon verstaan. 'Hij zei dat hij het nog nooit zo heerlijk gehad had op seksueel gebied. Met mij is het een nieuwe ontdekkingsreis en daar geniet hij minstens net zoveel van als ik. Marijke, Richard maakt me zo gelukkig! En juist dán heb ik behoefte om alleen te zijn. Om mijn gedachten weer te ordenen, om tot mezelf te komen, om na te genieten. Om me te realiseren wat er allemaal met me gebeurt. Heb jij dan nooit de behoefte om alleen te zijn?'

'Nou ja, ik vind het leuk om met jou uit eten te gaan. Dat is iets wat leuker is alleen met jou, zonder Johan dus, maar verder?'

'Dat is nog niet alleen. Ik bedoel: helemaal alleen. Ga je nooit eens in je eentje wandelen, omdat je even alleen wilt zijn?'

'Dat wel, ja, dat klopt.'

'Verheug je je er ook nooit eens op om een hele avond lekker languit op de bank te kunnen liggen met een boek als Johan eens weg zou zijn.'

'Maar dat kan ik ook als hij thuis is. Eigenlijk moet ik er niet aan denken dat hij lange tijd weg zou zijn. Oké, over een paar maanden gaat hij een aantal dagen met Tim naar een voetbaltoernooi ergens in Spanje of Italië, ik weet het niet meer. Dat zou dan voor het eerst zijn, maar ik verheug me er niet op om alleen te zijn. Ik vermaak me wel, dat bedoel ik niet, maar nee, niet zoals jij het zegt.'

'Misschien komt het door wat we gewend zijn.'

'Dat denk ik wel, ja. In elk geval, Edith, moet je je níéts van mij aantrekken. Je moet gewoon doen wat jij wilt, want het gaat om jóúw leven.'

Edith glimlachte. 'We doen ook wat je willen, maar ik had gehoopt dat je het zou begrijpen.'

'Misschien wil ik dat wel niet,' zei Marijke zacht. 'Ik ben bang om alleen te zijn. Soms bekruipt me de angst dat Johan dood zal gaan en wat moet ik dan? We kennen elkaar vanaf ons tiende. Ik kan niet leven zonder hem.'

'Natuurlijk kun je dat. Goed, je moet het leren, maar alles is te leren. Je moet je daarover alleen nu nog geen zorgen maken, dat is jammer. Je hebt geen idee hoe oud hij wordt. Die zorgen mag je pas hebben als hij echt overleden is. Eerder niet. En trouwens, ik denk dat er nog iets is, wat Richard en mij tegenhoudt samen te gaan wonen. We zijn allebei zo zelfstandig, we doppen al jaren onze eigen boontjes, beslissen zelf wanneer we iets opruimen of schoonmaken en hoe we dat doen. Dan krijg je zoiets als twee kapiteins op één schip, als we toch gaan samenwonen en dat, Marijke, is nooit goed.'

'Daar heb je echt gelijk in,' vond Marijke. 'Zeg, hebben jullie al een datum bepaald?'

'Nog niet. Ergens in mei of juni. We geven geen groot feest. Alleen zijn kinderen en jullie natuurlijk. Zonder jou ga ik niet trouwen,' zei Edith grinnikend.

'Bof ik even.'

'Hoezo?'

'Nou, dan kan ik de mooie jurk die ik ga kopen voor het feest van Karin als ze zelfstandig advocate wordt tenminste nog een keer aan. Ah, koffie, lekker.'

'Met een chocolaatje, zie ik, heb ik ook.'

'Ja, bovenop de berg slagroom. Het lijkt de Mount Everest wel, zo'n berg.'

'Lekker juist. Trouwens, om nog even terug te komen op jouw nieuws, Marijke, je moet wel geduld hebben met Karin, hoor. Je ziet het aan mij, altijd alleen en nu kan ik niet samenwonen. Zij heeft jaren op haar tenen gelopen, dat verander je ook niet van de ene op de andere dag.'

Dat bleek maar al te waar, want toen Marijke thuiskwam, lag er een briefje op tafel: *Ik ben naar Karin, bel maar als je thuis bent, Johan.* Marijke schrok enorm. Wat was er gebeurd dat Johan in de auto was gesprongen? En waarom had hij haar niet gebeld? Ze greep haar mobiele telefoon om te zien of die uit stond, maar dat stond hij niet. Ze was de hele avond bereikbaar geweest. Ze belde direct Karins huis. Steven nam op. 'Wat is er?' riep Marijke. 'Wat is er gebeurd?'

'Niets, rustig maar, ma. Er is niets ergs gebeurd.'

'Maar waarom is Johan dan naar jullie toe?'

'Oké, Karin raakte even in paniek en ik wist niets beters te bedenken dan jullie te bellen. Pa wilde jou niet storen. Je had recht op je etentje met Edith, vond hij, dus kwam pa, en dat was goed genoeg. Karin is weer helemaal rustig, alles is weer in orde.'

Marijke zuchtte en hoorde Johan op de achtergrond roepen.

'Hoorde je dat?' vroeg Steven.

'Ja.'

'Oké, dan weet je dus dat hij over een halfuur weer thuis is.'

Marijke schonk een glas vol water en ging op de bank zitten, deed de televisie aan, maar zag niet wat erop was. Wat zou er toch gebeurd zijn met Karin en waarom vond Johan dat hij het niet even had hoeven zeggen? Ze was toch ook haar dochter!

Maar daar had hij een heel plausibele verklaring voor: 'Als je het had geweten, had je niet meer ongedwongen met Edith kunnen praten, dan had je je voortdurend zorgen gemaakt en zo ernstig was het niet, dat kon ik meteen wel horen.'

'Wat was er dan gebeurd?'

'Niet lachen, hoor, maar Jolien was ondeugend geweest. Het klinkt best wel grappig, maar het kan natuurlijk niet. Ze had weer een tube tandpasta leeggeknepen op de badkamervloer.'

'Nee, toch, die deugniet. En Karin had beloofd haar niet meer te slaan.'

'Ja, het was zeer uitdagend en Karin voelde haar handen jeuken, maar die belofte schoot haar gelukkig te binnen. Ze wist echter niet wat ze dan moest doen en plotseling begon ze zo te schelden en te schreeuwen en uiteindelijk te gillen dat Steven het beneden hoorde. Ze kon eerst niet meer stoppen, tot Steven haar een kletsnat washandje in het gezicht duwde. Toen hield ze op. Vervolgens kreeg ze een enorme huilbui. Steven heeft haar de trap afgeleid en op de bank gezet en daarna de kinderen in bed gestopt en daarna belde hij hierheen.'

'Wat een ondeugende meid. Ik kan me voorstellen dat Karin het niet meer wist. Kon jij helpen?'

'Dat was niet echt nodig, maar Steven dacht gewoon dat het gesprek prettiger zou verlopen als er iemand bij was.'

'Waarom deed Jolien dat? Zijn jullie daar nog achter gekomen?'

'Ze wilde natuurlijk gewoon zien hoever ze gaan kon. Zo klein als ze is, wilde ze haar grenzen verkennen. Ze zag wel dat Karin boos begon te worden, omdat ze haar kleren op de vloer had gegooid. Karin zei: leg ze eens op de stoel. Dat weigerde ze, dus Karin kwam op haar af en zei het nogmaals. Al die tijd bleef Karin rustig, al moeten haar ogen boos gestaan hebben. Jolien moet gedacht hebben: als ik doorga, slaat ze me toch en dan heeft ze lekker haar belofte verbroken en zijn de poppen aan het dansen. Het is een soort van negatieve aandacht vragen, waar niemand bij gebaat is. Karin wees naar de kleren, maar Jolien rende naar de badkamer en pakte de tube, draaide die los en begon te knijpen. Toen had Karin het gehad en raakte ze in paniek.'

'Dat kan ik me ook wel voorstellen. Het is mooi als kinderen een eigen willetje krijgen, maar dit ging te ver,' vond Marijke.

'Precies.'

'Steven heeft haar dat ook goed duidelijk gemaakt. Hij zei: 'Jij bent stout geweest. Je hebt straf verdiend. Je mag morgen niet naar Sesamstraat kijken.' Dus dat wordt nog wat morgen. Steven zal zorgen dat hij zelf thuis is, zodat hij ook zelf de straf kan uitvoeren, maar persoonlijk vind ik het een heel goede straf.'

'Dat is ook zo, ja. Ze is gek op Sesamstraat.'

'Vroeger zeiden we: wie niet horen wil, moet voelen. Dat geldt niet meer, was ook niet goed. Toch hoop ik dat Jolien dit voelt.'

'Heb je wel gezegd dat je trots op Karin bent?'

'Zeker weten, en ik heb gezegd dat jij dat ook zult zijn als je het verhaal hoort.'

'Dat is ook zo.' Opeens begon Marijke te grijnzen. 'Weet je nog toen Karin zelf zo klein was? Dat was soms ook geen katje om zonder handschoenen aan te pakken. Ze wilde geen spinazie eten en spuugde het gewoon uit, recht in mijn gezicht. Wat ik ook zei, ze bleef het doen. Uiteindelijk heb ik de kinderstoel zo gedraaid dat ze niemand meer kon zien. Dat vond ze niet leuk. Ik was wel erg blij dat ze vastzat met een tuigje, want wat was ze aan het wrikken en wringen om los te komen. Na een kwartier heb ik gevraagd of ze nu haar bord wilde leegeten en dat deed ze. Toch spuugde ze het de keer erop weer uit. Dat moet ik haar nog maar eens vertellen. Dan weet ze dat haar kinderen het niet van een vreemde hebben.'

HOOFDSTUK 19

Het was een zonnige vrijdag in april. Precies acht weken nadat Karin huilend naar haar moeder was gereden. Ze had hard gewerkt aan zichzelf in die acht weken, wist Marijke. Er was veel gebeurd. Na die paniekaanval, toen Jolien voor de tweede keer in de tube tandpasta had geknepen, had ze opgebiecht aan Steven dat ze bang voor zichzelf geweest was. Bang dat ze zich niet in de hand zou kunnen houden. Die keer was ze gaan schelden en schreeuwen, wat natuurlijk beter was dan slaan, maar ook niet goed. Ze was echter vooral bang voor de volgende keer. Wat zou ze dan doen? Steven had voorzichtig voorgesteld dat ze eens met iemand zou gaan praten en Karin had inderdaad een afspraak gemaakt met een psychotherapeut, aan wie ze alles verteld had. De man had het goed opgepakt en niet alleen geprobeerd Karin haar eigenwaarde terug te geven, zodat ze zichzelf niet langer door de ogen van Marijke of die van Steven bekeek, maar alleen door haar eigen ogen. Hij had haar ook trucjes geleerd hoe ze moest reageren als ze voelde dat ze kwaad begon te worden. In het begin had ze dat nogal belachelijk gevonden, die trucjes. Maar de psychotherapeut had haar ervan verzekerd dat ze die op een gegeven moment echt niet meer nodig had. Dan kon ze zonder trucjes normaal reageren op haar omgeving.

Het was ook duidelijk te zien aan het hele gezin, vond Marijke. Ze gingen veel leuker en vrolijker en vooral op een meer ont-spannen manier met elkaar om. Het vorige weekend hadden ze samen de kinderen bij hen gebracht en toen Marijke met Jolien en Sterre voor had raam was gaan staan om hun ouders uit te zwaai-en, had ze gezien dat Karin en Steven hand in hand naar de auto liepen. En het was zo duidelijk zichtbaar dat ze dat niet deden om een leuke indruk te maken, maar gewoon omdat ze van elkaar hielden. Dat hadden ze altijd al gedaan, dat wist Marijke wel, maar door dit gebaar wist ze, dat de liefde deze diepgaande ver-storing in het gezin had doorstaan en dat Karin en Steven er vermoedelijk zelfs sterker uitgekomen waren en nu nog meer van elkaar hielden.

Die indruk was nog duidelijker geweest op het moment dat ze hun kinderen weer kwamen halen, want tot Marijkes grote vreugde renden Jolien en Sterre niet alleen op Steven af bij hun binnenkomst in de huiskamer, maar ook op Karin. Kinderen zeggen de waarheid, dacht ze, en als Jolien zo spontaan tegen haar moeder kon doen, moest de verhouding wel weer goed zijn.

Marijke glimlachte tegen haar spiegelbeeld in de grote spiegel op de deur van hun klerenkast op de slaapkamer. Ze was zo blij met de ommekeer van Karin. Ja, het was opeens snel gegaan, maar Karin was er natuurlijk al maanden aan toe geweest om te veranderen. Ze wilde dat al heel lang, maar wist niet hoe. Ze had alleen maar een klein duwtje nodig gehad. Dat had ze dus gekregen, die dag dat ze huilend naar Marijke toe gereden was.

Marijke trok de kast open. Ze droeg alleen ondergoed en een lange onderjurk. Nu haalde ze voorzichtig haar nieuwe jurk tevoorschijn, die ze speciaal voor vandaag gekocht had. Want vandaag was het de dag waarop Karin zelfstandig advocaat zou worden en niet langer onder begeleiding het werk zou doen. Een bijzonder feestelijke gebeurtenis dus en ook een chique gebeurtenis, dus Marijke had een chique, maar ook vrolijke jurk gekocht. De japon had korte mouwtjes en met de zon die op dat moment naar binnen scheen, leek het wel alsof ze de jurk zo aankon, maar vermoedelijk zou het buiten toch nog frisjes zijn. Daarom had ze er een klein, kort jasje bij gekocht, dat er wat kleur betreft exact bij paste.

Langzaam liet ze de japon over haar hoofd glijden en maakte ze de knoopjes dicht. Ze bekeek zichzelf opnieuw en knikte tevreden. De jurk kwam tot haar kuiten en viel zwierig rond haar benen. Ja, ze zag er goed uit, vond ze zelf. Zo kon ze wel naar een chic feest toe. Gisteren was ze naar de kapper geweest en had ze haar haren lekker kort laten knippen. Ze haalde er een kam door en besloot voor de gelegenheid haar gezicht lichtjes op te maken.

Meestal deed ze dat niet, maar een beetje rouge en wat lippenstift zouden het geheel een nog chiquere uitstraling geven, bedacht ze. Ze bleek gelijk te hebben. Johan keek zijn ogen uit toen ze beneden kwam. 'Meid, wat ben jij mooi en wat zie je er jong uit! Ik ga ook maar naar boven om me om te kleden.' Johan had een vrije dag genomen, al was het feest pas 's middags. Hij zat nog in zijn ochtendjas te genieten van een kop koffie en zijn krant. Maar nu wilde hij duidelijk niet bij haar achterblijven.

Marijke hoorde de brievenbus klepperen en liep naar de gang, raapte de post op en nam alles mee naar de kamer. Er zat een ansichtkaart tussen, zag ze, en een met de hand geschreven envelop. Vandaag dus niet alleen rekeningen, dacht ze opgewekt, en liep naar de keuken om voor zichzelf een kop koffie in te schenken.

Met de koffie en de post ging ze aan tafel zitten. De kaart leek haast wel antiek, een zwart-wit afbeelding, en de randjes waren zelfs vergeeld. Verbaasd draaide ze hem om en zag een onduidelijk, hanenpoterig handschrift. Van wie kwam die nou? Haar ogen gleden over de tekst en ze begon te glimlachen.

Lieve zuster Marijke,

Vandaag is het de dag van het feest van uw dochter. U zult vast erg trots op haar zijn. Ik ben trots op ú dat u haar op haar gedrag hebt aangesproken. Ik ben ook trots op mezelf dat ik Annet heb aangesproken én trots op Annet, die nu zo'n geweldige baan heeft en mij nu naar de brievenbus rijdt in mijn rolstoel, zodat ik deze kaart zelf kan posten. Ik wens u een heel fijne dag toe.

Hartelijke groeten, mevrouw Tuinstra

Wat lief, zeg! Ja, ze had het haar gisteren nog snel verteld. Echt veel tijd om te praten was er niet, omdat Marijke immers een afspraak met de kapper had én ook nog twee nieuwe patiënten, maar dat het zo goed ging met Karin, dat had ze toch graag kwijt gewild aan de oude dame. Echt leuk dat ze nog dezelfde middag dus de moeite had genomen deze kaart te posten.

Ze nam een slok van haar koffie en pakte de envelop, bekeek het handschrift en opeens herkende ze het. Die kwam van Edith. Sjonge, wat bestonden er toch veel lieve mensen. Dat Edith haar ook een kaart stuurde vanwege Karin. Ze opende de envelop met het theelepeltje en schudde haar hoofd. De kaart had niets met Karin te maken, en waarom eigenlijk ook? Waarom moest Edith háár een kaart sturen vanwege Karin. Als ze er al een stuurde, had ze die aan Karin zelf moeten sturen. Ze was wel een beetje egoïstisch geweest in haar gedachten. Dit was een trouwkaart, dat kon niet anders met die twee ringen op de voorkant. Ze opende de kaart. Er viel een briefje uit, maar ze las eerst de gedrukte tekst op de kaart:

Op woensdag 19 mei hopen wij, Richard en Edith, te gaan trouwen. Je bent van harte welkom in het gemeentehuis en daarna in restaurant Het Uitzicht voor een gezamenlijke lunch.

19 mei, dacht Marijke. Waarom 19 mei? Midden in de week. Ze pakte het briefje dat erbij ingesloten had gezeten en las de woorden die Edith haar geschreven had.

Lieve Marijke, wil je mijn getuige zijn en voor mij de trouwakte ondertekenen?

Marijke voelde haar ogen vochtig worden. Ze duwde haar bril omhoog en veegde met haar wijsvinger onder langs haar ogen tot het tot haar doordrong dat ze mascara ophad. Ze haastte zich de kamer uit, botste in de deuropening tegen een aangeklede Johan aan, maar liep toch door.
'Wat een haast opeens,' mompelde hij.
Voor de spiegel bekeek ze zichzelf. Ze ontdekte een vieze vlek en

liep hoofdschuddend naar boven. Daar moest ze wel rekening mee houden vandaag, dat ze zich had opgemaakt. Stel dat ze ook tijdens de ceremonie moest huilen. Ze kon maar beter wat extra zakdoekjes meenemen.

'Wat was er nou?' vroeg Johan zodra ze weer binnenkwam.

'Er is post van Edith. Ze vraagt of ik haar getuige wil zijn als ze gaat trouwen. Daar raakte ik zo ontroerd van, dat mijn ogen vlekten.'

'Ik zie het, je hebt blauwe oogleden.'

'En ik zie nu pas dat jij er ook prachtig uitziet. Die stropdas staat echt erg goed bij dat pak.'

'En het overhemd?'

'Dat wist ik al, dat dat goed stond. Dat heb ik immers zelf uitgezocht.' Ze lachte en zocht haar mobiele telefoon op om een sms'-je naar Edith te sturen. Het liefst belde ze haar, maar ze zat natuurlijk op haar werk in de bibliotheek en daar wilde ze haar niet storen. Ze verstuurde maar een enkel woord: *Graag.*

Nog geen minuut later ging de telefoon. 'Dus je doet het?' vroeg Edith opgetogen.

'Natuurlijk, zo'n eer valt me niet elke dag te beurt.'

'Eer?'

'Dat vind ik wel. Ik ben er ontroerd van.'

'Rare meid,' zei Edith. 'Het stelt niet veel voor, hoor.'

'Voor mij wel. Dat ik een handtekening mag zetten, ja, dat vind ik heel bijzonder. Dank je wel.'

'Hoe vind je de kaart?'

'Eenvoudig, maar daardoor juist erg mooi. Komen Richards kinderen ook?'

'Dat hopen we wel, ja.'

'Waarom eigenlijk op 19 mei? Zomaar midden in de week?'

Edith schoot in de lach. 'Heb je dat zelf niet uit kunnen rekenen? We kennen elkaar dan precies een halfjaar.'

'Ach ja, dat ik daar niet opgekomen was. Nou, een halfjaar klinkt toch niet te kort. Richards kinderen komen vast wel.'

'En weet je,' zei Edith met een geheimzinnig lachje. 'Aansluitend gaan we samen naar de Canarische Eilanden. Op huwelijksreis.'
'Wat leuk voor je. Kunnen jullie de boel daar samen verkennen.'
'Precies.'
'Maar het valt me wel van je tegen,' zei Marijke ernstig.
'Hoe bedoel je?' Edith klonk geschrokken.
'Ik dacht dat wíj dat nog eens samen zouden doen.'
Edith viel zo stil, dat Marijke erom schaterde. 'Joh, ik meende het niet serieus. Ik vind het geweldig voor jullie.'
'Maar je hebt wel gelijk. Wij zouden nog eens samen…'
'Welnee, nu heb je Richard. Af en toe uit eten vind ik genoeg, hoor. Ga jij maar lekker met hem op vakantie.'
'Gelukkig, ik schrok er even van. Zeg, ik heb wel je paspoort nodig, maar ik bel je morgen nog. Kun je me gelijk vertellen hoe het feest van Karin was. Veel plezier, hoor.'
'Dank je, tot morgen dan.'
'Is die jurk van jou niet te koud?' vroeg Johan. 'Ik zie dat het nog maar zestien graden is buiten. Dat is mooi voor april, maar niet echt warm.'
'Ik heb met opzet een wat blote jurk gekocht. Ik wist immers al dat Edith gaat trouwen en dan is het warmer dan vandaag. Ik vond het wat te veel om twee keer zo'n mooie jurk te kopen. Voor vandaag heb ik er een jasje bij, dat ik thuis kan laten op Ediths trouwen. Althans, dat hoop ik. Zeg, je moet het wel meteen in je agenda zetten, want jij bent natuurlijk ook uitgenodigd.'
Johan knikte en keek op zijn horloge. 'Er is wel tijd voor nog een kopje koffie, toch?'

Een klein uur later reden ze naar het grote advocatenkantoor waar Karin al die jaren al werkte. Het was een maatschap en vandaag zou zij officieel deel gaan uitmaken van die maatschap. Bij de receptie werden ze vriendelijk ontvangen en doorverwezen naar de grote vergaderzaal. Daar bleken Tim en Lucy ook al te zijn.

'Jongen, wat zie jij er keurig uit,' zei Marijke, terwijl ze hem begroette.

'Hm, ik moest per se een stopdas om van Lucy.'

'En dan doe jij dat?' zei Marijke lachend.

'Ja, bij ons heeft Lucy de broek aan.'

Marijke moest nog harder lachen. Ze bekeek Lucy van top tot teen. 'Wat een prachtige japon heb jij aan.' Ze gaf haar schoondochter een kus.

'Jij ook,' vond Lucy. 'Gelukkig heeft pa ook een stropdas om.'

'Ja, dat moest van mij,' zei Marijke grinnikend, maar sloeg een hand voor haar mond, omdat ze niet alle aandacht op zichzelf wilde vestigen.

Er kwamen twee heren in het donkergrijs op hen af. 'U bent vast familie van Karin.'

'Inderdaad.' zei Johan. 'Wij zijn haar ouders en dit is haar broer met zijn vrouw.'

'Welkom, wij zijn twee collega's van haar. Als u daar plaats wilt nemen? Haar man komt toch ook?'

'Ja, natuurlijk.'

'Mooi, dan kan hij daar zitten.' Ze wezen naar een stoel en Marijke fronste haar wenkbrauwen. Zouden Jolien en Sterre niet meekomen dan? Ze was er altijd van uitgegaan dat die er ook zouden zijn. Het ging toch om hun moeder!

'Aan de andere kant zitten collega-advocaten en mensen van de rechtbank,' legden ze uit.

'Het is dus echt officieel,' zei Johan grijnzend.

Marijke boog zich naar Lucy toe, omdat ze het niet begreep van die ene stoel voor Steven. 'Waarom hebben jullie Jorm en Ivo niet meegenomen, of waren die niet uitgenodigd?'

'Jawel, maar die konden voor zoiets niet vrij van school krijgen.'

'Ach, ja, daar dacht ik even niet aan.' In elk geval hadden Jolien en Sterre dat probleem nog niet, dacht ze, en die zouden dus ook wel komen. Als zelfs de kinderen van Tim waren uitgenodigd…

'Wilt u koffie?' Een meisje in zwarte rok en witte blouse hield hen een dienblad voor.

'Dank je,' zei Marijke.

'Suiker en melk staat op de tafeltjes.'

'Ik zie het.'

Achter haar stond een meisje in dezelfde kleding met een groot blad met gebakjes.

'We worden verwend hier,' zei Johan tevreden.

'Oma, opa!' Twee heldere kinderstemmetjes klonken opeens door de zaal.

Marijke draaide zich om en zag Steven in de deuropening staan met aan elke hand een meisje. Marijke moest even slikken toen ze hen zo zag. Wat zagen ze er prachtig uit. De meisjes hadden schitterende jurkjes aan en zelfs een lint in hun haren. Steven zag er ook mooi uit in zijn kostuum, met stropdas!

Kleine voetjes snelden over de vloer.

'Jolien, Sterre!' riep Marijke uit. 'Wat zijn jullie mooi!'

'Nieuwe jurk!' riep Jolien en draaide een rondje.

'Ik ga je vandaag niet optillen, hoor,' zei Marijke. 'Anders kreukt je jurk. Sjonge, wat zien jullie er prachtig uit.'

'Ik ook juk,' zei Sterre.

'Ja, jij bent ook mooi. Prachtig.' Ze lachte naar Steven die bij hen kwam staan. 'Jongen, wat zien ze er fantastisch uit.'

'Echt?'

'Schitterend. Ik moet moeite doen mijn ogen droog te houden. Het is dat we hier zijn, anders…'

'Gelukkig,' zei hij stralend. 'Ik vond het ontzettend moeilijk, maar ik heb het dus goed gedaan?'

'Hoe bedoel je?'

'Ik heb vanmorgen vrijgenomen. Dat weet Karin niet. Die dacht dat ik de meisjes naar het gastouderverblijf bracht, maar dat heb ik niet gedaan. We zijn gaan winkelen en hebben deze jurkjes gekocht. Karin had zelf al kleertjes voor hen klaar gelegd en die waren ook mooi, maar ik vond dat ze voor deze gelegenheid in het nieuw moesten.'

'Nou, jij hebt echt smaak,' vond Lucy. Ze knikte waarderend.

'Ik heb me laten adviseren in de winkel,' zei hij eerlijk. 'En daarna zijn we naar de kapper gegaan. Natuurlijk kan ik hun haren kammen, maar daarbij houdt het dan ook wel op.'

'Ik ben echt onder de indruk.'

'Ah, Steven, leuk dat je er ook bent.' De twee collega's kwamen op hem af en schudden hem de hand.

'Dit wil ik ook niet missen!'

'Je kunt hier plaatsnemen. We halen er nog twee stoelen bij. We wisten niet dat je kinderen mee zouden komen.'

'Niet? Was dat niet de bedoeling dan?'

'Natuurlijk wel, die horen erbij, alleen was ons dat niet doorgegeven. De fout ligt bij ons.'

De stoelen werden gebracht en ook Steven en de meisjes werden voorzien van drinken en gebak.

'Zal ik ze helpen met eten?' stelde Marijke voor. 'Het zou zo jammer zijn als ze op die mooie jurkjes knoeiden.'

'Hoe laat begint het eigenlijk?' vroeg Johan. 'Ik begrijp niet waar Karin blijft.'

'Daar is ze,' zei Tim.

Marijke keek op en zag door een andere deur twee mannen binnenkomen met Karin tussen hen in. Lieve help, wat zag zij er ook goed uit in dat mantelpakje. Ook zij was naar de kapper geweest, dat kon niet anders, dacht Marijke.

Ze zag hoe de twee mannen die zich als haar collega's hadden voorgesteld zich bij het groepje voegden en hoe ze allemaal plaatsnamen achter een grote, lange tafel.

'Mamma! Mamma!' Jolien had Karin ontdekt en sprong van de stoel af, rende door de zaal op haar moeder af.

Marijke hield haar hart vast. Als Karin dit maar kon goedkeuren. Als ze maar niet in de stress schoot of boos werd op het enthousiast meisje.

'Kijk, mamma, ik heb een nieuwe jurk!' Vlak voor de grote tafel draaide Jolien een rondje, zodat het rokje wijd ging staan.

'Wat ben je mooi!' zei Karin verrast.

'Ik ook, mamma.' Sterre was achter haar aangekomen.

'Jullie zijn allebei mooi, prachtig.'

Marijke haalde opgelucht adem. Het hoorde natuurlijk niet dat de meisjes door de zaal renden, maar Karin reageerde alsof het de normaalste zaak van de wereld was en gelukkig glimlachten de heren achter de tafel ook.

Steven stond op en liep op hen af. 'Kom, we moeten hier zitten. Straks komt mamma bij ons.'

Ze begrepen er niet veel van, maar gingen gehoorzaam weer zitten en namen een slok van hun appelsap.

Het was voor hen natuurlijk ook niet om te volgen. Dat Karin nu officieel en zelfstandig advocaat was, dat ze nu deel uitmaakte van hun maatschap, dat ze nu tot de Orde van Advocaten behoorde, dat ze zich nu nog meer aan haar beroepsgeheim moest houden dan toen ze nog slechts advocaat-stagiaire was. Zo veel moeilijke woorden achter elkaar. Zelfs Marijke duizelde het even, maar ondanks dat voelde ze eigenlijk slechts één ding in haar hart en dat was trots. Haar gezicht glom ervan. Dit was háár dochter en ze had het dan toch maar mooi wel gered! Marijke keek even naar Johan en ze zag dat hij minstens net zo trots was.

Hun blikken ontmoetten elkaar en ze wist wat Johan dacht. Hij had het afgekeurd dat ze met Karin ging praten, het waren haar zaken niet, maar uiteindelijk was het meer dan goed gekomen. Misschien vooral omdat het wel haar zaken geweest waren, omdat zij Karin het idee had gegeven te hoge eisen aan haar te stellen. Maar ze had nooit van Karin geëist dat ze advocate zou worden. Dat was puur en alleen haar eigen wens geweest, die nu in vervulling ging. Naast de trots die ze voelde, merkte ze dat ze nu ook vervuld werd van geluk, want wat waren zij als familie rijk met gezonde, intelligente kinderen, met lieve schoonkinderen en vooral heel lieve kleinkinderen.

Door haar tranen heen zag ze dat de mannen en Karin opstonden en dat de oudste van hen Karin officieel de hand schudde.

'Ik ook!' riep Jolien en rende op haar moeder af. 'Mamma, ik ook een hand.'

Sterre kwam erachteraan.

Iedereen moest lachen en Marijke had het gevoel dat ze nu echt moest huilen. Wat een verschil met eerst. Er was geen spoortje van angst meer bij de kinderen te ontdekken. Het was nu alleen maar duidelijk zichtbaar dat ze van haar hielden. Ja, wat waren ze rijk en gelukkig, bedacht Marijke ontroerd en even kneep ze in Johans hand.

Jolien had echter, zonder dat ze het zelf wist, met haar opmerking het officiële gedeelte afgesloten.

Nu begon het feest met drankjes en hapjes en zelfs een band met livemuziek, waar niet alleen Jolien en Sterre uitbundig op dansten. Ook de volwassenen dansten naar hartenlust. Karin trok haar moeder even opzij. 'Mam, bedankt dat je mijn moeder bent.'

Marijke schudde haar hoofd. 'Nee, Karin, jíj bedankt, omdat ik zo'n geweldige dochter heb.'